De ijsdragers

Dit Boekenweekgeschenk wordt u aangeboden door uw boekverkoper.

Anna Enquist

De ijsdragers

EEN UITGAVE VAN
DE STICHTING CPNB
TER GELEGENHEID VAN DE
BOEKENWEEK 2002

Stichting Collectieve
Propaganda van het
Nederlandse Boek

Ik draag dit boek op aan mijn dochter

MARGIT

die mij met haar literaire kennis en haar grote gevoelsbegaafdheid hielp het te voltooien.

I

Zandgrond had ze altijd gehaat hoewel veel mensen er hoog van op gaven. Het zou goed zijn voor de huid en heilzaam voor de luchtwegen. Zij verafschuwde de nonchalant neergewaaide duinen met hun kwaadaardige helmgras, ze verachtte het element dat zich zo gemakkelijk door de wind liet verspreiden, dat zo machteloos de reddende regen door zich heen liet sijpelen en zich zo kritiekloos leende voor toepassing als schuurmiddel of tijdmeter. Als kind stond zij op het strand te kijken hoe de wind enorme zandstrepen voortjoeg, zo'n tien centimeter boven de grond; ze voelde de korrels prikken tegen haar kuiten en lachte. Zinloze opwinding, kinderachtig geweld.

We woonden hier schitterend, zei Nico. Menigeen zou hen benijden om dit ouderwetse, ruime huis aan de duinrand, omringd door een flinke lap grond. Het drong niet tot hem door dat er op die grond weinig wilde groeien, het was hem ontgaan dat zij karrenvrachten zwarte aarde had laten storten en talloze zakken gedroogde koemest in de bodem had laten verdwijnen. Het resultaat was een bescheiden grasveldje midden in de tuin. Daarbuiten was het zand alweer omhoog gekropen, op zoek naar heide en dennenbomen, dorre kompanen van het duinlandschap.

Zij hield van polderland. Klei, vet gras en veel water. Verhogingen op het land dienden daar ergens toe, gaven structuur en betekenis. Dijken verwezen naar rivieren en hekken markeerden de paden. Verder was alles egaal plat en overzichtelijk, het grasland op begrijpelijke wijze doorsneden met smalle sloten en groen tot de einder. En dan een vlucht ganzen die, tegen de avond, neerstreek op zo'n voedzaam voetbalveld: de vogels maaiden het gras met hun zaagtandbekken, staken tevreden hun kop onder een vleugel en sliepen. Geen nerveuze golfslag maar wateren der rust.

Ze moest de boodschappen uit de auto halen en opbergen voor Nico thuiskwam. De zon hing boven het donkere naaldbos. Ze trok haar schoenen en sokken uit en liep op blote voeten over haar kunstmatige paradijsje van gras. Het droogde uit aan de randen, zag ze.

De auto had ze zo geparkeerd dat er ruim plaats was voor de Saab van Nico. Zijn alcoholvrije bier zou ze in de ijskast zetten, het lamsvlees, de sla. Haar voetzolen kromden zich boven de kiezelstenen van de oprijlaan. De achterbak klapte open en gaf een schat aan planten prijs: tomaten, courgettes, pompoenen. Ze sjouwde ze naar de plek die ze als moestuin had bestempeld, zo ver mogelijk weg van de donkere bomen. De schop en een grote zak tuinaarde legde ze er alvast bij. Misschien vanavond, zo niet, dan morgenochtend voor ze naar school ging. De eerste twee uur had ze de vierde, maar die waren op werkweek. Tijd genoeg.

Langzaam en zorgvuldig ruimde ze de ijskast in en terwijl ze daarmee bezig was hoorde ze zijn auto het pad op rijden. Ze waste haar handen onder de keukenkraan, dwong haar schouders naar beneden en liep de gang in.

Voor Nico de sleutel in het slot kon steken trok ze de deur voor hem open. Hij zette zijn zware tas tegen de muur en kuste vluchtig haar haren, op weg naar de keuken, naar de jeneverfles.

Eén borrel, zei hij, daarna ging hij ongevaarlijk bier drinken om vanavond nog helder te zijn voor de vergadering.

Wat kon ze allemaal zeggen: hoe was je dag, heb je zin in lamskoteletjes, waar gaat die vergadering over, hoe laat moet je weg? Zwijgend volgde ze hem naar de keuken. Hij had zijn jasje uitgetrokken en over een stoel gehangen. Hij kneep in de sla die op het aanrecht lag, pakte de fles uit de ijskast en zette zich wijdbeens aan tafel.

– Jij ook? Hij schonk zijn glas vol en bracht het kreunend naar zijn mond. Ze wachtte tot ze hem hoorde slikken en ademde uit, zoals je aandachtig volgt hoe een kind een hap eten wegwerkt.

– Ja, doe maar, zei ze. Toen ze tegenover hem ging zitten glimlachte hij. Met beide handen wreef hij over zijn gezicht.

Hij moet naar de kapper, dacht ze, het haar hangt over z'n boord. Hij ziet er lief uit, een beetje versleten; ik zie hem liever zo dan kortgeknipt. De glans is eraf, hij is moe. Ik zal zo, zo meteen, straks eten voor hem maken. Ze zag voor zich hoe ze de sla zou stukplukken, hoe ze de tomaten zou snijden en de ui, eerst in een ruitjespatroon en dan dwars daarop in kleine snippers, de geitenkaas zou pakken, die lekkere olie die ze laatst gekocht had. Intussen praatte hij. Waar ging het over? Het waren woorden die over de keukentafel stroomden en stroperig naar de vloer gleden. Ze keek naar haar blote voeten onder de spijkerbroek. Sokken? O ja, op het gras.

– Ze willen wel die voorziening hebben, maar niet betalen. Ze maken een heleboel verzet los, ze laten allerlei zwervers en sociaal-pedagogen te hoop lopen zonder in te grijpen. Opruiing!

Hij leunde achterover en keek hoe ze opstond, mes en snijplank te voorschijn haalde, zich bukte naar de groentela.

– Om acht uur in het stadhuis, met de politie en de wethouder. Een slechtnieuwsgesprek. Prachtig hoor, zo'n crisiscentrum, maar het kost ons acht dure fulltime krachten, die dag en nacht uit hun neus zitten te eten tussen de lege bedden, plus onregelmatigheidstoeslag. Hein Bruggink heeft het me voorgerekend, voor dat geld kon je een halve afdeling laten draaien. Leuke bloes heb je aan.

Bosuitjes, dat is lekker. Zorgvuldig de peterselie erover knippen met de schaar. Olijven, verse tijm.

– B & W zijn de probleemeigenaar, zegt Hein. Wij willen graag maar kunnen het niet opbrengen. Ik moet ze zover krijgen dat zij het oplossen. En alternatieven bieden.

Ze zette de borden en de schaal met sla op tafel, wreef het zilver op met een theedoek, pakte wijnglazen uit de kast.

– Je kunt mensen naar de eerstehulp van het gewone ziekenhuis laten komen, of naar het politiebureau. Hogere drempel, minder expertise aan de voordeur, maar met een goede achterwacht van ons is dat ook wel verantwoord. Ik heb liever bier.

Ander glas. Opener. Inschenken. Het lam sist in de pan. Er was nu schaduw in de tuin; ze zag haar schoenen op het donkere gras liggen, eentje stond nog rechtop, de ander lag wat verder weg op zijn kant.

Ze ruimde de afwasmachine in en hij rommelde in zijn werkkamer aan de voorkant van het huis om papieren bij elkaar te zoeken. Het was halfacht, de zon was weg en de lucht werd heiig. Ineens stond hij achter haar en masseerde haar schouders. Ze draaide zich snel om, wuifde hem weg met een grapje en keek hem na toen hij zwaaiend met z'n map naar de auto liep.

Haar voeten gleden in de klompen die bij de keukendeur stonden. Ze plaatste de schop recht op de bodem en trapte hem de grond in. Ze groef diep in het zand, een wijde kuil. Het dikke plastic van de zak met aarde wilde niet stuk; ze legde de zak plat neer en hakte er met de schop een kruis in. Nu kon ze met beide handen aarde in de kuil smijten; op het laatst plaatste ze een pompoenplant vol knoppen in de vruchtbare cirkel. Volgende.

Haastig werkte ze door in de schemering. Omdat ze steeds haar haren uit haar gezicht veegde kleefde er aarde op neus en voorhoofd. Ze zweette en ademde hijgend door haar mond.

Toen ze even stilstond, met één hand leunend op de schop, met de ander duwend tegen haar rug, zag ze een vrouw staan op het balkon van het buurhuis. Ze zwaaide kort en boog zich weer over de aarde.

Naar binnen, nieuwsgierig wijf. Planten moeten meteen de grond in anders drogen ze uit. Of: je mag nooit overdag poten, dan raakt de plant uitgeput, 's nachts is de beste tijd. Het eerste water moet dauw zijn. Of: mijn dag is zo vol, mijn baan zo druk, mijn werk zo belangrijk dat ik alleen 's avonds mijn tuin kan verzorgen. Misschien groeit er uit mijn taille ook zo'n Schotse plooirok als ik lang genoeg hier blijf wonen.

De laatste tomatenplant stond op zijn plaats. Ze schopte de klompen uit en liep, haar voeten over het gras slepend, naar de tuinslang. Rond elke plant liet ze een modderpoel ontstaan, daarna spoelde ze haar handen af met het ijskoude water.

Doodmoe stapte ze in bed. Ze moest de wekker wat vroeger zetten, want het nakijken van de stapel proefvertalingen was niet gelukt. Ze had haar tas uitgepakt, ze had boeken en papieren op de grote tafel gelegd, had achter zich in de boekenkast naar woordenboek en commentaar gereikt en was begonnen zoals ze gewoon was te doen. In het werk van de derde leerling was ze blijven steken, ze kon zich niet concentreren en voelde haar ogen prikken, haar oogleden zwaar worden.

De slaap kwam snel. Maar één keer dreef ze naar de oppervlakte voor ze het bewustzijn ging verliezen, angstig en opgeschrikt door iets wat ze niet wist, maar toen ze zich omdraaide met haar gezicht naar het raam kon ze zich laten gaan.

Ze werd wakker toen Nico naast haar kwam liggen.

– Het is gelukt, zei hij zacht, het crisiscentrum wordt opgeheven over zes weken. Ze hadden er niet van terug. Een overwinning.

Ze was meteen alert.

– Maar je hebt verloren. Je wilde dat centrum toch graag, je vond het toch goed?

Ze hoorde dat haar stem hoog en drammerig klonk.

– Jawel, maar ze hadden mee moeten betalen. Wij zijn een

psychiatrisch ziekenhuis, we kunnen niet zomaar voor soepkeuken en opvangpost gaan spelen. Het was een experiment dat niet werkte. Ik ben blij dat ik er een eind aan kon maken.

Hij woelde en draaide tot hij goed lag, met zijn hand op haar heup. Zij keek naar het grijze vierkant van het raam, waarachter de strenge naaldbomen tegen de donkere hemel stonden. Het duurde lang, te lang voor ze iets zei. Nico haalde al diep en regelmatig adem.

– Als iemand niet meer weet waar hij heen moet, in de war is of in paniek – als iemand bang is voor psychiaters, of niet naar een inrichting durft – dan ben je toch blij met het crisiscentrum? Dan is er midden in de stad een plaats waar iemand die ten einde raad is heen kan. Ook in de nacht.

Nico zuchtte. Hij streelde haar hoofd tot zijn vingers haar natte wangen raakten. Toen draaide hij zich om en trok zijn knieën op.

*

Toen ze de school uit kwam was het nog steeds stralend weer. Ze voelde zich energiek, competent, tevreden. Die morgen hadden de nieuwe planten fier rechtop gestaan in hun diepzwarte bedden; de leerlingen hadden aandachtig geluisterd toen ze de proefvertalingen met vriendelijke en toch zakelijke opmerkingen uitdeelde; boven de gracht hing een verzadigd, warm licht.

Ze wilde even naar kruiden gaan kijken op de bloemenmarkt, maar bleef op het grote plein in de schaduw van de huizen staan. Eigenlijk had ze geen zin in het sjouwen met tassen en plastic zakken en dronk ze liever een biertje op dit halflege terras, in de aangename warmte van de middagzon.

Ze strekte haar benen en keek door haar oogharen naar de gevel van de kerk aan de overkant. Vaag hoorde ze twee vrouwen met elkaar spreken, het ging over zomerkleren, al dan niet kousen dragen, een afspraak, als Hein tenminste kan. Ze deed haar ogen open en zag een stevige vrouw wegfietsen met een sporttas aan haar stuur. De andere, blond, perfect opgemaakt, gekleed in een lichtgeel mantelpakje, stond voor haar met een tennisracket onder haar arm en glimlachte.

Ze probeerde pijlsnel te inventariseren wie het was. Ze voelde dat ze het wist. Geen collega van school. Geen medewerker van

Nico. Iemand met status, een notabele, de vrouw van de notaris, van de huisarts? Nee: Ineke Tordoir, de vrouw van Albert, voorzitter van Nico's Raad van Toezicht. Dat ze naam en functie gevonden had deed haar lachen van opluchting, wat de ander als teken van toenadering interpreteerde.

– Loes! Wat gezellig. Ik kom even bij je zitten! De vrouw liet haar blik glijden over ruitjesbloes, spijkerbroek en bierglas; ze bestelde water.

– Je komt zeker van je werk? Ik heb daar zo'n bewondering voor, dat je dat volhoudt met die lastige kinderen, en nog zo'n moeilijk vak ook, Frans was het toch, wel een heerlijke taal als je het kan!

– Oude talen, mompelde ze. De ander sprak gewoon door, alsof er een geluidsbron was aangezet die niet zomaar was uit te schakelen.

– Ik moet er niet aan denken om de hele dag tussen die pubers te zitten. Veel te blij dat mijn zoons die fase achter zich hebben. Ze zitten nu allebei in Delft, veel doen ze geloof ik niet maar ze hebben het wel leuk. Soms denk ik dat ik ook weer zou moeten gaan werken, maar dan is het weer zo druk dat het er niet van komt. Albert is zo vreselijk bezet dat er veel op mij neerkomt. Hij is natuurlijk al overbelast door de rechtbank, en dan komt zoiets als het ziekenhuis er nog bij! Het gedoe om dat crisiscentrum, daar wordt hij op aangesproken; moet hij weer vergaderen met de zorgverzekeraar of de ondernemingsraad of weet ik wat. Nee, ik zal wel niet meer aan het werk komen.

De blonde vrouw beklopte de steel van haar racket en lachte haar vriendelijk toe. De make-up lag egaal op haar perfecte huid. Twee zonen in Delft, dikke, vervelende jongens die op haar school hadden gezeten, maar aan wie de klassieke beschaving niet was besteed, gelukkig. Wat zou zo'n vrouw voor werk gedaan hebben? Ze kon zich er niets bij voorstellen.

– Nico zal ook wel dag en nacht in de weer zijn nu, toch? Het is natuurlijk zwaar, maar anders dan voor Albert. Die heeft in feite de volledige politieke verantwoordelijkheid. Dan is zo'n besluit moeilijk hoor, in deze tijd met al die daklozen en rondzwervende verwarde types. Ik vind wel dat er altijd wat is met dat ziekenhuis, Albert heeft er erg veel zorgen van. En dan gaat Hein Bruggink ook nog met pensioen, dat komt er nog bij! Feesten, afscheidstoespraken, en de opvolgingskwestie natuurlijk. Nee, dat zou wel wat minder kunnen, we zijn geen avond meer samen thuis.

Met verbazing registreerde ze de laatste mededeling. Echt iets voor Nico om niets over het vertrek van zijn directeur te zeggen voordat duidelijk was hoe het verder zou gaan. Geen verrassingen, en vooral geen verwachtingen waarvan het onzeker was of ze uit zouden komen. Hij zag er vast tegenop om een nieuwe baas te krijgen, of een aantal bazen. Raad van Bestuur heette dat tegenwoordig. Op zichzelf had hij het nu, als eerste geneeskundige, naar z'n zin, hij maakte beleid op praktisch niveau, hij had veel contact met collega's en zag ook nog eens een patiënt. Dat zou hij niet willen veranderen. Niet laten merken aan dat mens dat ik het niet wist. Ze dronk haar bier en zweeg.

– Evengoed heeft jouw man ook een verantwoordelijke job, ratelde Ineke verder. Ik vind dat mannen je er zo mee belasten, altijd dat geklets als ze thuiskomen, over meeting zus en beleidsoverleg zo. Je bent er gewoon vreselijk veel energie mee kwijt, als vrouw, vind ik. Kun jij dat makkelijk opbrengen? Gelukkig zijn jullie ook uit de kinderen, niet? Was er niet een dochter? Uit huis zeker? Doet ze wat leuks?

Gewoon zoals ik vanmiddag mijn vijfde klas heb uitgelegd: registreren zonder ophef en zonder opzet, zoals Tacitus deed. Ik zie de roze mond bewegen over de glimmende tanden; van de neusvleugels tot de hoeken van de bovenlip trekken twee rimpels de wangen rond; de getekende wenkbrauwen schuiven omhoog als de ogen wijd worden opengesperd. Ophef noch opzet.

Ze pakte haar tas, gaf de vrouw een hand en liep weg, dwars over het plein, in een rechte lijn.

De bovenverdieping was een stuk kleiner dan de begane grond, dat kwam door het toelopende rieten dak. Toch was hun slaapkamer, met het balkon, enorm, en ook de badkamer daarnaast mocht er zijn. Ze boog zich over de wastafel en keek zichzelf in de spiegel aan. Door de openstaande deur zag ze achter zich de overloop, het begin van de houten trap met de brede, lage treden en de dichte deur van de derde kamer.

Maak er toch je werkkamer van, had Nico gezegd. Je hebt ruimte nodig voor je boeken, je moet ergens rustig kunnen zitten voorbereiden en corrigeren. Later, had ze geantwoord. Later. Ze kletste koud water tegen haar gezicht. Eenmaal weer beneden pakte ze haar tas uit in de woonkamer, keek in haar agenda en maakte stapeltjes van de verschillende dingen die ze te doen had. Ovidius met de vierde, een mythologielesje voor de eerste klas, een lijst van Griekse preposities voor de derde. Overzicht moest ze hebben, bescheiden plannen op korte termijn, taken die haar in beslag namen. Ze liep de tuin in en ging zitten op de rand van het terras. De brutaliteit van zo'n vrouw, de indiscretie! Eigenlijk was ze niet onaardig, ze bedoelde het goed. Stom van Albert, die had nooit tegen haar mogen reppen over het vertrek van de directeur voor het officieel bekend was. Hij had rekening moeten houden met de praatlust van zijn vrouw, na al die jaren huwelijk zou hij dat moeten weten. Geen ophef, zei ze tegen zichzelf. Wat er in het ziekenhuis ging gebeuren interesseerde haar toch helemaal niets. Dat andere, iets anders wat de vrouw gezegd had – onrust, een knagend gevoel in de maag, een doffe, apathische vermoeidheid had dat veroorzaakt. Nog liever ging ze de grassprieten aan haar voeten tellen dan doordenken. Alle gedachten hielden halt voor de gesloten deur op de bovenverdieping, zeker als Nico thuis was. Zelf kon ze, op momenten zoals nu, met een zekere distantie een gedachte formuleren als: er is een dochter die wij niet kennen. Wij hebben ruim een halfjaar niets van haar gehoord en wij weten niet waar ze is. Haar kamer is leeg. Op haar verjaardag lag ik de hele dag misselijk van de hoofdpijn in bed. Zij werd negentien. Nico ging fietsen en kwam uitgeput thuis met een snee in zijn been. Omgevallen. Fiets kapot.

Ze voelde hoe andere gedachten de hoofdgedachte opzij drongen. Wat er vanavond gegeten moest worden, hoeveel weken nog tot de paasvakantie, of ze de was wel had opgehangen, wat ze zou doen met dat saaie stuk tuin bij de dennenbomen. Dat ze een tuinman zou moeten nemen om haar te helpen met die hopeloze bodem.

Tijdens het gesprek met de vrouw was ze even in de verleiding geweest om alles te vertellen. Een dochter, ja, Maj heet ze, naar mijn moeder, die uit Zweden komt. Een eenzelvig, gespannen meisje met een rimpel in haar voorhoofd en een angstige blik in haar ogen. Ze is vlak voor haar eindexamen weggelopen. Mijn man wil niet over haar spreken. We doen of ze niet bestaat maar ze is er wel, ze is er de hele tijd.

Men zegt dat rampen beter hanteerbaar worden als je erover praat, maar wij hebben die ervaring helaas niet.

Het bolle, gladde gezicht van de vrouw had haar afgeschrikt. Ook als ze werkelijk gewild had zou ze er geen woord tussen hebben gekregen. Misschien. Ik moet weg, had ze gezegd toen ze haar verkleefde lippen van elkaar kreeg, ik herinner me ineens dat ik een afspraak heb.

– Ik zag de vrouw van Albert in de stad. Ik wist eerst niet wie ze was. Ze tennist met Aleid Bruggink. Ineke heet ze, het schoot me gelukkig op tijd te binnen.

Nico keek op van zijn krant.

– Heb je met haar gepráát?

– Ze is niet te stoppen, ik moest wel. Maar ik hoefde niets te zeggen, zij deed het woord. Ze ging bij me zitten op een terras!

– En?

– Ze vertelde dat Hein Bruggink met pensioen gaat. Dat vond ik wel verrassend, hij is net zestig, toch?

Nico vouwde de krant op.

– Ze willen in Frankrijk wonen, in dat huis waar wij altijd welkom zijn maar nooit heen gaan. Hij denkt er al een tijd over. Ik geloof dat hij in het ziekenhuis wel zo'n beetje bereikt heeft wat hij van plan was. Het is nu rustig, op het crisiscentrum na. Hij zal geen zin meer hebben in een volgende onderhandelingsronde over bezuinigingen. Hein wil altijd winst maken.

Nu zou ik het moeten zeggen, dacht ze. Een opmerking over die twee dikke zonen in Delft, en hoe me dat aan Maj deed denken. Of we niet een particulier opsporingsbureau zouden kunnen inschakelen, advertenties zetten in de krant, nog eens al haar vrienden langsgaan?

– Niet zo somber kijken, zei Nico.

Hij trok haar overeind en drukte haar tegen zich aan. Ze voelde het gewicht van zijn armen, de tocht van zijn adem in haar haar. Alsof hij mij troost, dacht ze, alsof hij weet wat ik denk, en bij mij is. Hij weet dat helemaal niet, hij troost mij ook niet maar toch voel ik het zo, omdat ik dat wil. Als ik dat niet doe heb ik helemaal niets meer.

Ze fietsten de stad in om op de markt te gaan eten. Waar de duinen overgingen in grasland lag er een paars licht over de velden. In de buitenwijken speelden kinderen op straat; een jongen klemde zijn bal met beide handen onder zijn kin toen ze langsreden, gestokt in zijn bewegen, de tijd even tegenhoudend tot ze voorbij waren gereden.

Het was te koud om buiten te zitten, maar de ruimte van het plein leek de binnenzaal extra allure en meer adem te geven. Ze klonken met glazen vol koele wijn. Nico zwaaide naar een ernstige man met keurig gekamd haar, die de groet beantwoordde met een plechtige hoofdknik.

– Te Velde, van de financiële administratie. Wat doet die hier in z'n eentje? Misschien wacht hij op iemand.

Op z'n dochter, dacht ze toen een mager meisje met een vioolkist op haar rug door de draaideur kwam en zoekend de zaal door keek. Nico praatte over het ziekenhuis, de eisen van het zorgkantoor, de belemmeringen vanuit het ministerie, de noodzaak om eigen research te doen, kwaliteitsbewaking, zorg op maat, rehabilitatieprogramma's.

Ze kon zich moeilijk op zijn woorden concentreren. Wat moest je je erbij voorstellen? Het waren abstracte en vage begrippen voor haar. Voor hem was dat anders, hij kreeg er een rood hoofd van en sprak met geestdrift.

Vroeger, toen hij assistent was, kon hij haar wel boeien met zijn psychiatrische verhalen over mensen met wonderlijke gedragingen en bizarre gedachten. Toen was het van belang te begrijpen wat er in een patiënt omging. Ze had dat altijd ontroerend gevonden, zo'n groep studenten en assistenten die in een kring om de professor heen zaten en, via hun eigen associaties, probeerden de betekenis te achterhalen van zorgvuldig in de dossiers opgetekende wanhoopskreten. Nico had het gehaat. Hij kon het niet. Zijn tentamen psychiatrie was een ramp geweest. De professor, een wat feminiene, kunstzinnige man, zat met halfgeloken ogen achterover in zijn stoel en had voor Nico een roos in een melkfles op tafel gezet.

– Vertelt u mij over deze roos, meneer Van der Doelen. Ik luister.

Nico had niet geweten wat hij moest zeggen. Zijn denken was volkomen geblokkeerd geraakt, zelfs zijn bloedsomloop leek te stokken, nergens zat meer enige beweging in. De professor had ironisch geglimlacht.

– Talloze schrijvers en dichters zijn u voorgegaan, meneer Van der Doelen. U hebt, met uw kennis van de ziel, aan hun overwegingen vast iets toe te voegen.

Stilte. Parels van zweet op zijn voorhoofd. Verlamming.

– Als u over deze eenvoudige bloem, met haar zo duidelijk zichtbare ambivalentie van vlijmscherpe doorns en fluwelen bloembladeren, niets kunt vertellen, als u geen gedachten kunt formuleren over het verscholen hart en de dorstige stengel – hoe kan ik u dan op mijn patiënten loslaten? Een psychiatrische patiënt is heel wat ingewikkelder dan deze roos, meneer Van der Doelen. Wij zullen elkaar over drie maanden weer ontmoeten. Probeert u intussen eens wat na te denken.

Woedend was hij geweest, stotterend van razernij had hij haar het verhaal gedaan, buiten zichzelf van verontwaardiging. Een vernedering, had zij gedacht. Hij was belachelijk gemaakt, voor de gek gehouden, ontwapend. Voor de herkansingstermijn was verstreken was de professor ziek geworden. Nico deed een briljant tentamen bij zijn vervanger, die in directieve therapie en structurerende technieken was gespecialiseerd.

Toch dacht ze soms dat hij gelijk had, die poëtische leermeester. Wie geestesziek was had er waarschijnlijk meer aan dat iemand probeerde zijn verhaal te reconstrueren dan dat er een schema van regels werd opgelegd. Wie in de war was begreep zichzelf niet; dan was het goed als anderen hun best deden om dat begrip op te brengen. Als de dokter niet nieuwsgierig durft te zijn naar het wezen van zijn patiënt, hoe moet de patiënt dan ooit naar zichzelf durven kijken? Hoe rampzalig was het voor de zieke om een papier vol gedragsoefeningen te krijgen met de impliciete boodschap dat het de behandelaars niet kon schelen hoe de patiënt in elkaar zat en waarom hij hier verzeild was geraakt? Nog steeds dacht ze, net als toen, dat de zieke geschouwd zou moeten worden als de roos, met verwondering, met betrokkenheid, met begrip. Maar wist zij veel. Het was haar vak niet. Nico had het over chaos die je moest inperken, over duidelijke regels en afspraken, over beloning voor aanpassing en straf voor overtreding. En de corrigerende invloed van de groep. Van het zweverige gezoek naar betekenis werd iemand die echt ziek was niet beter; een paranoïde patiënt moest je niet diep in z'n ogen kijken want daar werd het alleen maar erger van; over vreemde uitspraken moest je niet doorvragen maar je moest ze uitdoven door ze te negeren.

Ze keek naar de man die tegenover haar zat. Zijn bord was leeg maar mes en vork hield hij nog in de aanslag, alsof het werktuigen waren waarmee hij de werkelijkheid te lijf kon gaan. Ze lachte. Hij legde de vork neer en pakte haar hand.

– Ik heb iets besloten, zei hij.

Ze keek hem verrast aan, onwillekeurig denkend aan een definitieve zoektocht naar hun dochter, aan het oplossen van hun eigen gezinsraadsel met dezelfde energieke aandacht die nu het ziekenhuis ten deel viel; en meteen zichzelf een halt toeroepend. Zo was hij niet.

– Ik ga Hein opvolgen. Ik word directeur.

2

Toen hij eerste geneeskundige werd had hij een kamer in het hoofdgebouw gekregen. Dat was makkelijk omdat iedereen hem daar kon vinden en omdat hij in het centrum van besluitvorming en administratie zat, maar hij miste het geroezemoes van een afdeling op de achtergrond, de iets te harde en joviale stemmen van verplegers, de schuifelende patiënten op de gang. Dat hij daar toch aan gehecht bleek merkte hij nu pas – of was hij gewoon bang om zijn eigenlijke vak kwijt te raken? Zo blij was hij toch niet geweest met de vrijwel dagelijkse controverses tussen psychiaters en verplegend personeel, met de moeizame taak een min of meer veilig en prettig leefklimaat te bewerkstelligen op een afdeling waar steeds nieuwe, ernstig verwarde mensen een plaats moesten vinden. Bij elke crisis leefde hij op. Beslissingen om een patiënt te separeren of plat te spuiten, om een assistent een reprimande te geven of een verpleegster over te plaatsen kostten hem geen moeite; integendeel, hij hield ervan om bliksemsnel chaos te overzien, een besluit te nemen en dat kordaat uit te voeren. Het zoeken van een nieuw evenwicht daarna vond hij saai en vervelend. Het duurde hem te lang, iedereen moest aan het woord komen met tegenwerpingen en bezwaren zodat besluiten werden afgezwakt of teruggedraaid.

Hij was verrast geweest over het aanbod om promotie te maken en had er niet lang over nagedacht. Doen!

Nu nam hij de beslissingen over voorkeursmedicatie en behandelprotocollen, hakte knopen door als anderen er niet uit kwamen en stuurde het kolossale schip dat het ziekenhuis was de richting op die hij zelf had gekozen, weliswaar binnen de economische grenzen die Bruggink had vastgesteld, maar toch.

Hij zette zijn tas op zijn bureau en liep meteen het gebouw weer uit. Het terrein oogde als een slaperig en zeer landelijk dorp. Langs de paden stonden hoge bomen en de gebouwen lagen verscholen tussen het groen. Over de wegen liep een enkeling met papieren onder de arm, tufte een wagentje met tuingereedschap, slofte een groepje patiënten. Iedereen groette. In de verte ging een trein voorbij. Tussen de spoorbaan en het ziekenhuisterrein stond een metershoog hek. Daar, aan de uiterste grens van het gebied, stond het paviljoen waarheen hij op weg was.

Hij dacht er zelf nog over als 'de chronische afdeling', maar in het huidige spraakgebruik heette het hooguit 'verblijfspaviljoen', een woord waaruit het eindeloze, hopeloze aspect was weggelaten – je kon tenslotte ergens verblijven zonder dat het voor altijd was. In de praktijk kwam dat er wel op neer, want de mensen die er waren opgenomen kwamen er vrijwel nooit meer weg. Gedurende de jaren was de opnameduur op de 'acute' afdelingen steeds korter geworden, er heerste daar een sfeer van daadkracht, van doelstellingen en stappenplannen, en wie daarin niet mee kon komen werd chronisch. Daardoor slibde het ziekenhuis langzaamaan dicht en lag er een probleem dat zijn aandacht vroeg.

Hij opende de deur van het stokoude en vervallen gebouw met zijn eigen sleutel. De geur van shag en oude koffie kwam hem tegemoet. Uit de huiskamer klonk accordeonmuziek. Een stevig gebouwde verpleger in een shirt met korte mouwen joeg een aantal patiënten uit de gang de kamer in. Nico wierp een blik in een slaapzaal: gewapper met lakens, hopen vuil linnengoed op de grond, een openstaand raam dat uitzag op het hek; in de twee verste bedden lagen nog mensen. In de huiskamer zaten verkreukelde patiënten rond de tafel met koffiekopjes. Er werd gemorst met tabak, met as, met verkruimelde koekjes. Een vrouw had haar armen op tafel gelegd en sliep. Er hing een oude, zure lucht. Hij ging in het kantoortje zitten met een stapel statussen. Het binnenraam gaf hem ruim zicht op de huiskamer, waar een meisje slingers ophing. Tussen haar lippen klemde ze een rijtje punaises, ze had een strakke mond van metaal. In de hoeken van de kamer klom ze op een stoel en prikte het koord met gekleurde vaantjes tegen de plint, waarbij ze even haar bilspieren strak aanspande.

Hij hoorde de verpleger schreeuwen in de slaapzaal: Opstaan, u bent nu drie keer gewaarschuwd! We gaan u eruittrekken, hoor, mevrouw Van Overeem is jarig!

Op tafel zag hij, voor de slapende vrouw, een kartonnen doos met tompoezen staan. Tegen de achterwand van de kamer liep een jongen schichtig heen en weer, steeds een jachtige blik werpend op de taartjes.

– Jij moet ook komen zitten, Johan, zei de verpleger, we hebben feest, iedereen moet aan tafel.

Hij sjorde een oude man met ingevallen mond in zijn rolstoel naar de tafel toe. De man klemde een sigarenstomp in zijn hand en vroeg om vuur.

– Bij de koffie, riep de verpleger. Als iedereen eindelijk zit ga ik lucifers voor je halen. Johan, kom!

De jongen deed drie stappen naar de tafel toe, griste de metalen theepot waar tulpen in stonden weg en smeet hem met kracht door het raam. Meteen werd hij vastgegrepen en de gang in getrokken door de man met de blote armen en een toesnellende vrouw.

– In nummer twee maar weer? vroeg ze hijgend.

De separeercellen lagen aan het einde van de gang. Nico luisterde, gebogen over zijn statussen, naar het heftig sjorren en schuifelen, begeleid door het schrille geschreeuw van de jongen.

In de huiskamer veegde het meisje met stoffer en blik de glasscherven op. Wat een chaos was het daar eigenlijk, dacht hij. In de erker stonden kapotte stoelen, dode planten in gehavende potten, er lagen stapels oude tijdschriften en rommelige puzzeldozen in de vensterbank.

De patiënten waren om de tafel blijven zitten. Sommigen bewogen hun bovenlijf op en neer; anderen zaten star voor zich uit te kijken.

– Waar blijft de koffie? riep de over tafel liggende vrouw zonder haar hoofd op te tillen. Koffie, koffie, koffie!!

De man met de blote armen en zijn collega kwamen terug de kamer in. Uit de isoleercel was een hevig bonzen te horen.

Wat een rotzooi, wat een hopeloze omgeving. Stinkende slaapzalen, overal geluid, herrie, te weinig ruimte, die dan ook nog volstond met kapotte troep. Het ergste was misschien toch de volstrekte apathie van de bewoners. Dit was hun leven, en zij, afgezien van de opgesloten jongen, accepteerden dat.

Het meisje deelde tompoezen uit op kartonnen bordjes. Langzaam kneep een vrouw de harde boven- en onderkanten naar elkaar toe, de dikke gelige room droop in haar schoot. Een verpleegster liep op haar af, haalde diep adem en zag Nico in het kantoortje zitten. Ze blies de lucht naar buiten, alsof ze leegliep en inzakte. Met een theedoek depte ze de derrie op.

De man met de armen kwam vragen of hij ook koffie wilde. Nico sloeg het aanbod af.

– Moet er niet een psychiater even naar de isoleer? vroeg hij.

– Ziek, zei de man. En geen vervanging. We kunnen het zelf wel af, ervaring genoeg hier. Of wilt u zelf even gaan kijken? Niet zo'n goed idee, hij kent u niet. Moet u ook geen tompoes?

In de tuinkamer begon het meisje te zingen. Lang zal ze leven, er is er een jarig. Niemand zong mee.

– Hoera, hoera, riep ze zachtjes ter afsluiting. Ze bloosde diep.

Eindelijk was er rust rond de tafel. De patiënten werden gevoerd of aten zelf de in vierkantjes gesneden stukjes taart. De slapende vrouw tilde haar hoofd op en zag Nico in het kantoortje zitten.

– Halleluja! De dokter van de doelen is gekomen! Amen! riep ze op zangerige toon. Ze liet haar gezicht in de taart vallen en spreidde haar armen over tafel uit.

– Wat ruikt het vreemd, zei het meisje, alsof er iets smeult; staat er iets op het fornuis, Erik?

De man met de blote armen schudde nee en begon oplettend de kamer te onderzoeken. Nu rook Nico het ook, een gemene brandlucht met synthetische ondertoon. Eigenlijk zou de boel hier moeten afbranden, dacht hij. Opluchting, verzekeringsgeld, nieuwbouw.

Erik kwam hoofdschuddend terug van de keuken, met opengesperde neusvleugels en halfdichte ogen, het geurspoor volgend. Hij wees naar de rolstoel die half naar de erker gekeerd stond. Een kleine, vuilgele rookpluim steeg eruit op. Erik reikte tevergeefs naar de tafel waar de theepot met bloemen had gestaan en stortte zich op de rolstoel. Het meisje was naar de keuken gerend en kwam terug met een fles melk die ze in de schoot van de rolstoelzitter leeggoot. Aan het gezicht van de man was niets te zien. Hij zat. Hij keek. Hij zweeg. Erik duwde hem half op z'n zij en haalde een halve sigaar uit zijn broekzak. Voorzichtig plukte hij de stukgebrande stof van de bovenbenen en legde een vuurrode, blarende wond bloot. Troostend streelde het meisje het hoofd van de oude man, die onverstoorbaar voor zich uit bleef staren.

Nico stond op, legde de statussen weg en liep met grote stappen het paviljoen uit.

*

Uit het kerkgebouw midden op het terrein klonken flarden gezang. Hij stapte er gedachteloos binnen. Hij voelde zich geërgerd, ongeduldig, rusteloos. Lopend over de zandige paden was hij gaan zweten, nu sloeg de kou van de kerk tegen zijn natte huid. Hij leunde tegen de wand naast de toegangsdeur en keek de duistere ruimte in. Ook hier was het een enorme rommel: opgestapelde kerkbanken, in een hoek gesmeten bezems, emmers, dweilen, een stelling met trommels en triangels, openstaande muziekkasten, op de grond gekwakte psalmboeken.

Midden in de zaal, onder het daklicht dat de zon in stoffige stralen doorliet, stond het Ziekenhuiskoor, een schamele twintig man, voor de helft bestaand uit patiënten, aangevuld met personeel. De dirigent, een zware man met een krullenkop, klemde in zijn linkerhand een blokfluit en had een trommel met een riem om zijn middel bevestigd. Hij gebaarde weids met zijn armen en maakte sprongetjes op de zware maatdelen.

Wat een amateurisme, wat een misplaatste vrolijkheid, wat een bittere armoe, dacht Nico. Koorzang. En die zorgmanagers en verpleegsters doen nog mee ook. Op de achterste rij zag hij zelfs een van de psychiaters staan, een ernstige vrouw met grote handen. Hun lunchpauze geven ze op om hier stof naar binnen te zuigen – ongelooflijk.

Hij maakte aanstalten om walgend weer naar buiten te gaan maar bleef staan toen het koor een nieuw lied aanhief: 'Ik zeg adieu, wij twee, wij moeten scheiden...'

De heldere bariton van de dirigent was boven de aarzelende koorstemmen uit te horen. Een afscheidslied voor Bruggink natuurlijk. De eenvoudige melodie met haar terugkerende verdrietige wendingen hield hem vast.

Het klagende liedje, eerst gedragen door de personeelsleden maar allengs zekerder meegezongen door het hele koor, begeleid door de doffe hartenklop van de trommel, vervulde hem van top tot teen.

Allemaal zijn we gevangen binnen de hekken van dit terrein, dacht hij, binnen het net van afspraken dat wij gemaakt hebben over ziekte en genezing; de illusies waarvan we afhankelijk zijn kennen we nauwelijks, we zijn totaal machteloos maar zullen bezwijken als dat tot ons doordringt – de zorgers net zo goed als de verzorgden. Hun stemmen kringelen om elkaar heen, ze zingen woorden: vreugde en pijn, adieu, scheiden, altijd zal ik bij u zijn.

Beroerd werd hij van zijn gedachten. Hij rechtte zijn rug, schudde zijn hoofd en voelde hoe zijn voeten contact hadden met de vloer. Onmacht is een nutteloos gevoel, het verlamt en maakt mismoedig. Weg ermee, naar buiten, actie.

Op de stoep kwam hij het meisje tegen met een oude dame aan haar arm. Hij hield de deur voor haar open en rook toen ze passeerde een vreemd, wild parfum dat hem verraste.

– Hoe is het met meneer Van Raai? vroeg hij toen ze al bijna binnen was.

Ze keek om, het blonde haar gleed van haar schouder, ze had grijze ogen.

– Hij is met een ambulance naar het ziekenhuis gebracht. Het was veel erger dan wij dachten. Het leek of hij geen pijn voelde. Ik begrijp het niet.

– Werk je hier al lang?

– Twee weken. Ik ben invalkracht. Student. Eva Passchier.

– Nico van der Doelen. Hij schudde haar uitgestoken hand die droog en koel aanvoelde.

Idioot dat ze zo'n kind op die afdeling laten rondscharrelen, hoe oud is ze helemaal?

– Adieu, wij beiden moeten scheiden, adieu, adieu, zong het koor. Eva nam de dame aan haar arm mee naar binnen.

*

Het afscheid van Hein Bruggink duurde weken. Er was een enorme receptie voor het personeel, er was een diner met de Raad van Toezicht, een groot feest voor alle patiënten en een tweedaagse conferentie over psychiatrie en architectuur voor de psychiaters en de managers. Nico had geen geduld om de lezingen aan te horen, hij kon ook zelf wel bedenken dat de vorm van de gebouwen van invloed was op de aard van de behandeling. Of andersom. Hij besloot alleen bij het diner te verschijnen. 's Middags voelde hij zich, als enige psychiater in het hele ziekenhuis, veldheer en koning. Hij liep van de ene afdeling naar de andere; overal was het min of meer rustig, wat hem gelegenheid gaf over zijn plannen na te denken. In zijn fantasie voegde hij paviljoenen bij elkaar, ontsloeg hij incompetente werknemers en ontwierp hij behandelprotocollen voor onbehandelbaar geachte patiënten. Nieuwe speerpunten; onverschrokken snijden in rot vlees, keuzes maken en niet omzien. De fantasieën brachten hem in vervoering, en toen hij, in de namiddag, Eva op een bankje onder een boom zag zitten bleef hij voor haar staan om te vertellen wat hem bezighield.

– Die mensen waar je voor zorgt hebben twintig of dertig jaar geen enkele verantwoordelijkheid voor hun eigen bestaan gehad. Jullie bepalen hun dagindeling, jullie bedenken wat ze eten en wanneer en waar. Ze hoeven helemaal niets meer, ze hoeven niet eens iets te willen!

De gympen aan haar bungelende benen sleten twee goten in het zand. De zon bescheen haar gebogen nek.

– Het is waar, zei ze opkijkend. Ik vroeg meneer Van Raai vanochtend of hij in de erker of aan tafel wilde zitten. Hij wist het niet. Erik zei: aan tafel.

– Keuzes! riep Nico. Keuzes maken betekent verantwoordelijkheid op je nemen, je eigen bestaan vormgeven, iemand zijn!

Ze had perfecte enkels. Bruinverbrand en naakt verdween de wreef in haar schoen.

Hij liep door. De therapeutische gemeenschap, TG zoals dat hier heette, zou hij opheffen, dat was een verloren zaak uit de jaren zeventig, een peperdure onderneming waar redelijk goed geïntegreerde patiënten maandenlang in hun ziel zaten te graven onder leiding van hoogopgeleide therapeuten. Het vrijgekomen geld ging hij besteden aan de meest hopeloze groep onder zijn hoede. Zodra Hein weg was.

Het hotel waar de conferentie werd gehouden stond aan zee. De zon straalde rood in zijn ogen toen hij de parkeerplaats op draaide. Hij voelde zich moe en bleef even zitten met de handen in zijn schoot. Ineens was het ondenkbaar om zich vrolijk tussen zijn collega's te mengen, de zoveelste afscheidstoespraak voor Bruggink aan te horen, het imponeergedrag van de managers aan te zien. Dood gewicht hing aan zijn schoenen toen hij uitstapte. In een impuls rende hij de trap naar het strand af. In het zand deed hij schoenen en sokken uit. Hij rolde zijn broekspijpen op en begon langs de zee te hollen. Eerst had hij hinder van portefeuille en autosleutels in de zakken van zijn jasje, maar al snel bande hij die uit zijn gedachten. Zijn blote voeten kletsten op het natte zand en het omzeilen van kwallen en aangespoeld glas eiste zijn volledige aandacht. Hij dwong zichzelf in een tempo dat aan de grens van zijn uithoudingsvermogen lag en gaf zich over aan het zelfbepaalde ritme.

Afwachten. Met Albert praten. Zijn plan presenteren in een vergadering van de Raad van Toezicht. Aan de korte kant van de tafel gaan zitten. Uitleggen dat hij niet kon functioneren in een modieus driemanschap of, nog erger, in een duo als Raad van Bestuur. Hij wilde de enige verantwoordelijke zijn en moest dus ook de enige directeur worden. Dat was nog goedkoper ook. Met een goed team onder zich, natuurlijk. Tempo maken. De organisatie meekrijgen. Een avontuur voor werknemers en patiënten. De leiding nemen. Concentratie.

Langs de vloedlijn danste een hond. Een kind wierp keer op keer een stuk hout in de branding en het dier gooide zichzelf erachteraan, dook onder, blafte, schudde zich, schrok van de aanrollende golven maar bleef zoeken tot hij zijn buit op het strand kon brengen. Het kind knielde en spreidde de armen.

Een meisje, zag hij, van een jaar of tien. Ze drukte de natte hond tegen zich aan, stond op en zwaaide het hout hoog boven haar hoofd. De hond stond blaffend op zijn achterpoten.

Hij voelde een steek in z'n zij en tegelijkertijd trapte hij in een scherpe schelprand. Vloekend bleef hij staan, voor het eerst gewaar dat het zand koud en de zee nat was. Hij draaide zich om en zag het hotel in de verte liggen. De ramen waren al verlicht. Hij liep er in rustige tred naar toe. Moeizaam wrong hij de sokken over zijn natte voeten. Zand. Het zat tot ver in zijn broekspijpen, het kleefde aan zijn haar en prikte in zijn ogen. Hij hees zich de trappen op, zich bewust van de vochtige broekomslagen. De portier keek hem na toen hij over de marmeren vloer naar de foyer liep.

Uit de grote zaal klonk een constante dreun van conversatie. Nico bleef bij de ingang staan en liet zijn blik glijden over zijn collega's, die in groepjes bijeen stonden, drinkend, grappenmakend en lachend. Hier en daar, strategisch verspreid, zag hij leden van de Raad van Toezicht, en in de verste hoek, bij het grote raam dat uitzag op zee, zat Hein Bruggink met een sigaar.

Een regent, een ouderwetse koopman, een hogere handelaar was hij. Onder zijn leiding was het ziekenhuis economisch gezond geworden; hij had zijn energie besteed aan het ontwikkelen van diensten en producten die hij doorverkocht, meestal met succes. In zijn inrichtingskeuken bereidde men maaltijden die in de wijde omtrek werden afgenomen, zijn wasserij bediende de halve stad en in de verpleeghuizen van de regio kocht men ruim zijn psychiatrische expertise in.

Daar zou een eind aan komen, dacht Nico met plotselinge helderheid. We moeten weer een ziekenhuis worden. Onder mijn leiding. De handel eruit, de behandeling erin.

Hij liep de zaal in, gaf handen, accepteerde een borrel, maakte met deze en gene een praatje. Hij zag zichzelf door de ruimte schuiven. Terwijl hij bezig was observeerde hij met grote luciditeit zijn gang langs de verschillende groepen. Hij vond zich vriendelijk, hij gunde Hein zijn laatste triomfnacht, hij wist hoe hij zijn eigen plan zou doorzetten.

Heins autoritaire, weinig invoelende houding had hem vreemd genoeg populair gemaakt bij alle geledingen van het personeel. De mensen zagen Bruggink als een strenge vader, druk bezig buitenshuis met het vergaren van het gezinsinkomen. Ze waren verdrietig en licht ongerust vanwege zijn vertrek. Gedurende het diner wisselde de bezetting van de hoofdtafel tussen de gangen; steeds schoven er andere groepjes bij Bruggink aan. Nico hield zich afzijdig en keek. De psychiaters zongen een lied, de managers hielden toespraken, ten slotte sprak Hein zelf: joviaal, vriendelijk, beheerst. Vroeger had hij altijd, ter afsluiting van de werkconferenties, dezelfde mop verteld. Ze vroegen erom, ieder jaar weer, en vertelden aan nieuwe collega's dat er iets bijzonders zou komen. Nico had zich geërgerd als Hein van tafel naar tafel ging om overal zijn ingewikkelde en behoorlijk belegen grap op te voeren. Kinderen waren ze, die gepaaid moesten worden met steeds hetzelfde, voorspelbare verhaaltje. Hoe Hein zich dat liet aanleunen, er zelfs in glorieerde, van genoot! Weerzinwekkend.

Het gonsde ook nu weer: De mop! Voor de laatste keer de mop!

Hij ging plassen. In de wc trof hij Bruggink, die enigszins besmuikt papieren zakdoekjes stond stuk te trekken bij de wastafel. Nico trok vragend zijn wenkbrauwen op.

–Je moet ze in het kleine hun zin geven en in het grote je eigen gang gaan, zei Hein. Hij klopte op zijn zakken en vertrok.

Toen Nico terugkeerde in de zaal zag hij iedereen in een grote kring rond Brugginks tafel staan; er hing een gespannen stilte waaruit ineens de zware stem van Hein opklonk. De mensen om hem heen leken ontroerd, geraakt; hij zag een paar vrouwen over hun ogen wrijven, een man balde zijn vuisten langs zijn zij.

Hij bleef op grote afstand staan kijken. Hij verstond niets, maar zag Heins mond bewegen en zag de toehoorders van tijd tot tijd lachen en dan weer hun luisterhouding aannemen. Het duurde een eeuwigheid. Bruggink kuchte gemaakt achter zijn hand. De luisteraars stootten elkaar aan, de achterste rijen verhieven zich op hun tenen. In een laatste spasme spoog Bruggink een wolk kleine witte snippers uit die als sneeuw op het tafelkleed neerdaalde.

Men gierde van het lachen. Sommigen huilden. Bruggink stond op en liep langs Nico de zaal uit.

–Jij kende hem zeker al? Onthoud hem maar goed, jij moet volgend jaar.

Nooit, dacht hij. Ook dat gaat veranderen. Ik wil volwassen, rationele werknemers, geen kinderen die je moet voorliegen en zoethouden met verhaaltjes. Iedereen moet weten waar hij aan toe is, ik ook. Even zag hij een smal bed voor zich, voelde hij de bedrand in zijn bovenbenen snijden, hij stopte de dekens in rond het kinderlijf, hoorde zichzelf geruststellende woorden zeggen, alles is goed, lekker slapen, morgen is alles weer hetzelfde als vandaag en zo gaat het altijd door.

Hij draaide zich bruusk om naar de bar en bestelde een whisky.

3

Zaterdag en zondag waren de zwaarste dagen. Omdat het veilige netwerk van het lesrooster ontbrak moest ze zich dwingen de uren zelf te vullen met bezigheden die haar volle aandacht eisten. Wat zou het fijn zijn als ze van sport hield. Trainen, gymnastiekoefeningen, tennissen met iemand als Aleid Bruggink met die compacte dijen en dat vierkante kapsel, lange, steeds langere fietstochten maken zoals Nico; denken aan buikspieren, houding van rug en schouders, hoek tussen boven- en onderbeen. Ze had er niets mee op, ze had er altijd een hekel aan gehad en geloofde niet dat ze dat kon veranderen. Het enige wat ze graag deed was lopen, maar daarbij ging je onwillekeurig denken, en dat was niet de bedoeling.

De tuin. Het werd lente. Ze moest het gevecht met de zoutige zandgrond aangaan. De moestuin werd haar arena, het zand de vijand, de schop haar zwaard.

Nico was weggeslopen toen zij nog sliep. Meestal fietste hij op zaterdag nog even naar het ziekenhuis, in spijkerbroek en windjack. Hoe houden we dit vol, dacht ze zittend op de rand van het bed. Ze boog zich voorover zodat haar hoofd tussen haar knieën hing. Iedere dag weer proberen om niet te denken. Het stomme koor in het achterhoofd, dat luidkeels 'help' zong, dat onafgebroken 'was ik maar dood' scandeerde met alle kracht negeren. De open uren van de dag krachtdadig inperken met werken, de post beantwoorden, de voorwerpen in huis verzorgen, de struiken snoeien. En dat alles zwijgend, los van elkaar, alleen. Hij trapte de uren weg op zijn racefiets, zij spitte ze onder de grond.

Er lag nog dauw op het gras. Achter in de tuin, bij het hek langs het fietspad dat naar de duinen voerde, was de zon de armetierige planten en struiken aan het drogen, er hing nauwelijks zichtbare damp boven de bladeren. Het aanleggen van de groentetuin was een onderneming die haar voor weken in veiligheid zou brengen.

Langzaam liep ze naar de schuur om handschoenen, schoffel en spade te halen. Ze wilde alle halfdode planten uitgraven en maakte naast de schuur een afvalhoop, een brandstapel. Rondom de plant sloeg ze de aarde open met de schop; zittend op haar knieën wrikte ze de wortels los tot ze hem uit kon trekken. Het haar, dat steeds in haar gezicht viel, bond ze weg met een zakdoek. De spieren in haar rug waren tot het uiterste gespannen en deden pijn. Doorzetten, hier deed ze het voor, buiten deze strijd bestond er even niets.

– Lastig hè, iets te laten groeien op dat zand!

Ze keek op; ze had hem niet horen aankomen maar wist in haar onmiddellijke geheugen dat de schelpen van het fietspad gekraakt hadden. Een jongen zat op zijn fiets, hij hield zich met één hand aan het hek vast en steunde met een voet op de grond. Op de bagagedrager vervoerde hij een grote zak tuinaarde en aan het stuur hingen plastic zakken met het logo van het tuincentrum erop.

– Wessel ten Cate. Ik heb op uw school gezeten. Heel kort maar, hoor. Daar ken ik u van.

Een jaar of twintig, dacht ze, een scherp gezicht, wegkijkende ogen. Zou zo'n jongen verlegen zijn? Maar waarom spreekt hij me dan aan? Ik kan me niet herinneren dat ik hem ooit gezien heb, maar dat zegt niets, leerlingen onthouden de leraren beter dan andersom. Ze richtte zich op. Samen overzagen ze de aangerichte ravage. Ze vertelde wat ze van plan was: prei, sla, tuinbonen, kruisbessenstruiken, een aardbeienbed.

– Ik kan u wel helpen, als u dat wilt, zei hij. Maar alleen in het weekend. Het is heel veel graafwerk.

Ik wilde toch zo graag een tuinman, dacht ze. Zie je wel, de meeste problemen lossen zich vanzelf op. Ik wens een gravende jongeman, en daar is hij. Ze glimlachte. Ineens brak zijn gezicht open in een lach. Hij zette zijn fiets tegen het hek en sprong eroverheen, met beide voeten landde hij in het opgeworpen zand. Hij stak zijn hand uit, zij noemde haar naam.

– Bent u de moeder van Maj?

Ze knikte, draaide zich om en liep voor hem uit naar de schuur, snel pratend over haar schouder. Dat hij een overall moest aantrekken, die hing daarachter, aan een spijker; waar de emmers waren, de aansluiting voor de tuinslang, de snoeischaar, de pootstokken, touw, koemest, graszaad, bloempotten, hij wilde ook wat drinken natuurlijk, graven maakt dorstig, en dat in zulk mooi weer, de zon was al heet in dat gedeelte van de tuin...

– Moeten we niet eerst een plattegrond maken? vroeg hij. Ik moet toch weten dat ik het doe zoals u wilt.

– Natuurlijk, zei ze, haar vaart abrupt afbrekend, wat een goed idee. We gaan het helemaal uittekenen.

Hij zat op het terras aan haar tuintafel met een blocnote voor zich. Toen ze de koffie neerzette had hij al een schema gemaakt

– Je moet van elke plant weten hoe diep hij wortelt, en wat voor grond hij nodig heeft. Het wordt allemaal kunstmatig, want in het zand groeit niet veel.

– Wessel, zei ze. Wessel is het toch? Ken je Maj goed, heb je haar onlangs nog gezien? Ik vraag het je omdat wij al een tijdje geen contact met haar hebben en ongerust zijn. Weet jij waar ze is?

Hij arceerde met zijn potlood het stuk tuin waar de dennenbomen stonden en sprak zonder haar aan te kijken.

– Op school trok ik soms met haar op. Ze was wel speciaal. Ik heb haar later ook nog wel gezien, in de stad of zo. Maar de laatste keer? Dat weet ik niet, ik ben niet zo goed in datums.

– Misschien wil je het me zeggen als je haar weer eens tegenkomt?

De jongen knikte; hij zette de hekken rond de tuin donker aan en begon de oprijlaan in te kleuren.

Later keek ze naar zijn rug, gekromd over de schop. Hij had de overall aan de spijker laten hangen en zijn T-shirt uitgetrokken. Zijn zweet glom in de zon.

Hij had gevraagd waar het zand heen moest dat hij met kruiwagens vol van het landje haalde. Rij het maar naar binnen, wilde ze zeggen. Ze had in een flits het huis gezien, afgeladen met blonde korrels, verstikt door de onmetelijke zandbergen die uit haar tuin kwamen, de ramen, de muren uitbollend door de enorme druk zodat er geen plaats meer was, voor haar niet, voor Nico niet, voor alles van vroeger en nu niet. Een innerlijk begraven, een zandverdoving, een stoffig sterven.

– Wat dacht je van het dennenbos? Gooi het daar maar neer, daar groeit toch niets.

Toen hij afscheid nam was er een wal van zand tussen de dennen opgeworpen en oogde de moestuin als een open graf.

– Tot volgende week! zei de jongen. Hij sprong op zijn fiets en reed weg.

Geld, dacht ze, ik had hem geld moeten geven. Volgende keer meteen aansnijden. Altijd pijnlijk, geld.

Ze voelde zich opgelucht, daadwerkelijk lichter geworden. Er was iemand die haar hielp. Niet alleen de kilo's zand waren verdwenen, maar ook de grijze uitzichtloosheid waar ze die morgen mee was opgestaan. Wessel, dacht ze, ik heb Wessel.

Ze zocht proefvertalingen uit voor de examenklas, ze ontving ouders op de ouderavond en vergaderde met collega's over de zwakke leerlingen. Een drukke week, waarin ze Nico nauwelijks zag. Op vrijdagmiddag zat ze met een glas op het terras naar de opengebroken tuin te kijken. De rook van geheimen leek uit de gaten te kringelen; ze had niemand over haar wonderbaarlijke tuinman verteld, ook Nico niet.

Ze ging even naar binnen om haar glas bij te vullen. Toen ze weer de tuin in stapte zag ze een wielrenner aankomen, een jonge man met een fietsbroek aan en een omgekeerd petje op z'n hoofd. Haar hartslag versnelde – Wessel? Met berichten over Maj? De fietser draaide de oprijlaan in. Het was Nico. Hij hief zijn hand, ze zag het rare handschoentje met afgeknipte vingers, hij lachte, ze deed haar best de teleurstelling van haar gezicht te vegen.

De glimmende stof van de broek accentueerde de bobbel van zijn geslacht. Hij had een oranje hemd aan met zakken op de rug. Het zat te strak.

Even wist ze zich geen raad; ze nam haar toevlucht tot de gewoontes van alledag en schonk hem een borrel in. Je fantaseert over een jongen, hij komt eraan, ijlt naar je toe en het is een man met lijnen in zijn gezicht en kale driehoekige inhammen in zijn haarlijn. Het petje lag op tafel.

– Ik voel me zo lekker, het is hartstikke druk maar ik heb energie te over. Nu Hein weg is loopt alles glad, zonder weerstand, zonder strubbelingen. Ik heb er weer zin in, 't is of ik weer vijfentwintig ben. Nee, ik hoef niets te eten, geef maar een glas water.

Hij hield zijn buik in, zag ze. Hij keek naar de ravage in de tuin maar het leek niet tot hem door te dringen.

Later, hij was onder de douche geweest en had weer gewone kleren aan, zaten ze in de keuken aan tafel.

– Het is allemaal 'zorg' tegenwoordig, intensieve thuiszorg, bemoeizorg, zorg-op-maat. We hebben zorgmanagers en een zorgkantoor. Dat zou ik graag veranderen, ik ben er zo tegen. Mensen moeten niet verzorgd worden, dat doe je met dieren. Patiënten moeten werken aan hun genezing, in duidelijke stappen, met haalbare doelen en eigen verantwoordelijkheid. Dat verhullende taalgebruik is gevaarlijk. Zorg! Waardeloos!

– Als ze dat niet kunnen, of niet meer willen? Er zijn toch mensen die niet zelf kunnen leven? Moet je die dan laten stikken?

Het was of hij haar niet hoorde. Misschien had ze ook niets gezegd. Had een mens recht op volstrekt niet meer willen? Of moest je dan toch nog iets, op de rails gaan liggen of van een flat springen? Ze stelde zich een toestand voor van totale onverschilligheid, onvermogen om vooruit te zien, in beweging te komen, iets te wensen. Haar voeten zouden uitglijden over de gladde vloer, haar rug zou inzakken, langzaam zou ze uitvloeien op de grond terwijl ze de verlangens definitief wegblies met haar terloopse adem. Ze ging onwillekeurig rechtop zitten en schoof haar knieën tegen elkaar. Luisteren. Wat zegt hij. Zijn bord lag nog vol aardappels en biefstuk, het wijnglas stond onaangeroerd en hij bleef maar praten.

– Vanmiddag heb ik de verpleging toegesproken om mijn beleid uit te leggen. Een mentaliteitsverandering, dat eis ik van ze. Niet meer bedillen en verbieden, maar samen met de patiënt bedenken hoe het verder moet. Dát het verder moet. Patiënten aanspreken op hun eigen aandeel, hun taak daarin. Ze keuzes laten maken, vooruit leren kijken, verantwoordelijk stellen. Het gaf wel deining, maar de sfeer is goed.

Ze was allang klaar met eten en wachtte op een gelegenheid om over de tuin en de tuinman te praten, maar voor ze er een woord tussen kon krijgen was hij al opgestaan om nog even achter zijn computer te gaan zitten.

– Ik heb een tuinman gevonden, zei ze tegen zijn rug.

De keukendeur sloeg dicht.

Het motregende de volgende dag. Hij stond ineens bij de deur in een gele regenjas. Haar vreugde verraste haar. Wat was er aantrekkelijk aan een middag in de vochtige kou rondsjouwen door een vieze tuin? Waarom was het prettig om met een volslagen onbekende jongen een conversatie gaande te houden? Ze zwaaide de deur open.

– Had je er wel zin in met dit weer?

Hij deed zijn capuchon af en zei dat dit het ideale tuinweer was, je ging niet zweten, zag alles in het juiste licht en vermeed het opwaaien van stof. Hij zei het met een scheef, voorzichtig lachje.

Ze werkten de hele middag, kaplaarzen aan. Ze voelde de regen op haar koude wangen en koesterde de bezetenheid waarmee ze de tuin haar wil oplegde tegen alle weerstand in. Niet buigen, niet opgeven, niet gaan liggen.

Ze zaten tegenover elkaar in de keuken, het licht was aan omdat het buiten zo grijs was. Hij had aarde in z'n gezicht, zand in z'n haar, modder aan zijn handen. Moest ze hem de badkamer aanbieden, of ging dat te ver? Geld, hij moest geld hebben. Was honderd gulden te weinig?

– Ik wil je graag geld geven. Hij schrok en zette zijn beker thee plotseling neer.

– Voor Maj?

Wat bedoelde hij? Hij begreep het verkeerd. Of? Zou hij? Ze voelde zich bleek worden en greep zich stevig vast aan de tafelrand. Acht witte knokkels op een rijtje. Pathetisch.

– Bedoel je dat je haar gezien hebt?

Het kwam er nog heel zakelijk uit. Het was of ze zichzelf zag zitten, van bovenaf, met de jongen. Twee donkere rondjes naar elkaar toegewend boven het lichte hout van het tafelblad. De lamp ertussen.

– Ik mag het niet vertellen, zei hij aarzelend. Ze wil het niet. Beroerd hoor, ik weet niet wat ik moet. Maar ze heeft geld nodig. Ik zou het haar kunnen geven en niet zeggen waar het vandaan komt.

Waar had hij haar ontmoet, hoe zag ze eruit, wat had ze aan, met wie was ze geweest, wat deed ze, wat zei ze over haar, over Nico, hoe klonk ze, hoe liep ze, hoe? Ze boog haar hoofd en vroeg niets.

– Ik bedoelde eigenlijk dat ik jou wil betalen voor het werk in de tuin. Vorige week vergat ik dat.

– O, dat geeft niets hoor, zei hij met opluchting in zijn stem.

Ze kwam overeind en zocht haar tas. Daar, bij de telefoon. Hoe kan ik ooit iets vinden in zo'n buidel vol troep? Portefeuille. Ja. Ze haalde er twee briefjes van honderd gulden uit die ze hem gaf.

– Voor nu en de vorige keer. Is dat goed?

Hij knikte, vouwde de biljetten op en propte ze in zijn achterzak. Hij was ook gaan staan en greep de vuile regenjas. Vreemd dat zo'n jongen zo lang was. Ze moest haar hoofd optillen om hem aan te kijken.

– Ik moet nu zeker gaan, zei hij. Ik vind het heel vervelend, van Maj. Ik wil niet achter haar rug om iets doen wat zij niet wil, maar ik wil ook niet tegen u liegen. U moet begrijpen dat ik niets kan zeggen, niet tegen haar en niet tegen u. Anders gaat het niet.

Zijn hand lag op de deurklink. Hij keek langs haar heen.

– Wil je me niet gewoon Loes noemen? Het voelt vreemd dat je alsmaar u tegen me zegt. Mijn leerlingen zeggen ook je en jij, ik ben dat gewend.

Hij knikte. Ze was niet wijs. Wat wilde ze van de jongen? Het leek van het grootste belang dat hij binnen bleef, dat hij in elk geval zou terugkomen, een afspraak zou maken, haar niet in de steek zou laten. Dat hij tegen haar zou glimlachen. Ze was gek.

– Ga nog even weer zitten, ik moet iets pakken.

Onwillig deed hij een stap naar de tafel toe. Zij vloog al de kamer in en begon in een lade van de kast te rommelen, opgewonden over haar schouders sprekend in de richting van de keuken. Dat ze over snijbiet dacht, dat ze zo blij was dat er nu iets in de tuin gebeurde, dat het zonder zijn tussenkomst nog maanden had geduurd. Onzin allemaal, zinloos gekwek. Ze pakte al het geld dat ze in huis had bij elkaar en deed het in een enveloppe. Wat een geluk dat ze gisteren langs de bank was gegaan. Tweeduizend gulden.

– Hier, zei ze, en hield hem de envelop voor. Geef dit aan haar. Alsjeblieft.

Hij pakte het geld aarzelend aan en stopte het in een binnenzak.

– U moet, ik bedoel: je moet niet zo gespannen zijn. Het zal allemaal goed komen, dat kan niet anders.

Hij legde even zijn hand tegen haar bovenarm, het bracht haar in verwarring, ze voelde zijn stevige vingers op haar trillende spieren. Nu moet hij gaan, dacht ze, ik ga huilen anders.

Hij deed de deur open; zware, vochtige lucht kwam de keuken in.

– Ik bel de tuinfirma, ik zal de aarde bestellen.

Ze knikte en stak haar hand op toen hij door de donkere tuin verdween.

4

De ondernemingsraad vergaderde in het oude leslokaal achter het hoofdgebouw. Nico liep er hollend heen, zijn haar nog nat van de douche. Meteen na zijn installatie als directeur had hij naast de oude werkkamer van Bruggink een badkamer laten aanleggen in het voormalige dossierkamertje, zodat hij op de fiets, in wielertenue, naar zijn werk kon rijden, zich in het zweet kon trappen en toch fris op het ochtendrapport kon verschijnen. In het gangetje tussen badkamer en werkvertrek was plaats voor een klerenkast die hij voortvarend gevuld had met overhemden, onderbroeken, sokken, een trui, broeken en jasjes. Een koffer vol was het geweest, het leek of hij ging verhuizen en daar buitengewoon tevreden over was. Het gaf een prettig gevoel van macht om de functie van de vertrekken naar zijn hand te zetten. Bij Bruggink zou het nooit opgekomen zijn zich op zijn werk uit te kleden en te baden, maar hij had er vanaf het begin op gewezen dat hij zich moest kunnen wassen als ze hem als directeur wilden hebben. Het liefst zou hij zijn secretaresse zover willen krijgen dat ze zijn was deed en de overhemden streek.

Zonder kloppen draafde hij de vergaderzaal in. Jaap Molkenboer, de voorzitter, stond bij het schoolbord waar hij de agendapunten op krijtte. Crisiscentrum, zag Nico in een oogopslag, gedwongen functieveranderingen, reorganisatie met een vraagteken, adviesrecht met een uitroepteken. Zuchtend liet hij zich op een stoel vallen aan het hoofd van de tafel. Twee uur zou het duren. Twéé úúr. Hij legde zijn papieren voor zich op tafel. Zonder rond te kijken wist hij wie er om hem heen zaten want men hechtte aan een vaste opstelling. Hij voelde de onvrede en de dwarsheid als een walm boven de tafel hangen. Hij bracht vernieuwing en zij waren tegen.

Vlak na zijn aantreden als directeur had hij er een middag voor uitgetrokken om zijn plannen toe te lichten. Zijn geestdrift was vastgelopen in hun kneuterig-kniezende aanmerkingen. Met stugge gezichten hadden ze zitten luisteren; het crisiscentrum ga ik niet weer optuigen, had hij gezegd, en zij hadden allemaal tegelijk een aantekening gemaakt op hun blocnote. De therapeutische gemeenschap ga ik op termijn opheffen. Kras, kras. Opnameafdeling twee wordt gerenoveerd en uitgebreid. Daar komt een nieuw rehabilitatiecentrum in. Gebogen hoofden. Het contract tot maaltijdlevering aan omliggende instellingen ga ik opzeggen. Nieuwe pagina. Er komt een andere inrichtingsfilosofie, we verleggen de doelstellingen van verblijf en opvang naar heropvoeding en zelfstandigheidsbevordering; van de medewerkers verwacht ik dat ze daarover meedenken, dat ze initiatieven gaan nemen en bereid zijn zich bij te scholen. Op organisatieniveau streef ik naar samenwerking met de sociale werkplaats, met het beschermd-wonen en, in een latere fase, met de woningbouwverenigingen in de stad.

– Dat is een reorganisatie, had Molkenboer gezegd, daarvoor heb je onze instemming nodig. Je kunt niet zomaar eventjes het hele ziekenhuis omgooien, dat heeft consequenties voor de werknemers en wij horen die belangen in de gaten te houden. Nee, dat gaat zomaar niet. Ik wil het in elk geval zwart op wit zodat we erover kunnen vergaderen.

Wat is hij toch een zuiger, had hij gedacht. Molkenboer voelt pas dat hij leeft als hij dwarsligt, nee zegt, iets tegenhoudt. Hij had toegezegd dat hij zo snel mogelijk met een nota zou komen en dat de volgende werkconferentie in z'n geheel aan de geplande veranderingen gewijd zou worden.

De voorzitter had hem met een zuur glimlachje aangekeken. Ook dat ging zomaar niet, eerst zou alles in de OR moeten worden besproken, becommentarieerd en doorgelicht op mogelijke gevolgen voor het personeel. Advies duurde minimaal zes weken, ze waren overbelast maar stonden erop de procedures af te werken zoals het hoorde. Het bevreemdde hun dat hij er zelfs maar over dacht het plan de organisatie in te gooien voordat het OR-traject doorlopen was.

Nico had zich beheerst. De nota had hij in het weekend dat op de vergadering volgde geschreven, snel en gespannen de woorden op het toetsenbord gesmeten met harde vingers. Nu lag het stuk ter tafel.

Na twee uur lag het daar nog. Ze waren niet verder gekomen. Nico had voor de zoveelste keer zijn visie gegeven, de achtergronden belicht, zijn hoop op medewerking uitgesproken maar terwijl hij bezig was hoorde hij hoe ongeduld zijn stem binnensloop. Voor het tot openlijke ruzie kwam beëindigde hij de vergadering. Hij liep licht stampend naar buiten, Jaap Molkenboer in zijn kielzog.

– Je loopt zo hard van stapel, Nico. Wat is er toch met je?

– Je weet precies wat er is, zei Nico afgemeten. Ik heb het duidelijk uitgelegd, in termen die voor een IQ van 90 nog te begrijpen zijn. Met voorbeelden. Wil je nog dia's hebben?

– Ik vraag het je gewoon als collega. Waarom ben je zo fanatiek tegen de psychotherapie geworden? Wat heb je eraan om de TG op te heffen? Waarom wil je alleen nog maar onderhandelen met patiënten?

Nico bleef staan.

– Omdat dat de enige manier is om ze serieus te nemen. Onderhandelen is behandelen. Het leidt tot een resultaat. Dat is vooruitgang. Zo worden mensen beter. Gewroet in een moeilijke jeugd haalt ze onderuit. Ze moeten juist groeien, van de ene onderhandelingspositie naar de andere. Dan weet iedereen waar hij aan toe is. Het is verschrikkelijk autoritair om voor patiënten te beslissen. Wij gaan ze leren om zelf beslissingen te nemen.

Molkenboer keek zuinig. Hij verzette aarzelend zijn enorme vlezige benen in de corduroybroek en stapte achteruit.

– Het klinkt goed, maar toch klopt er iets niet. Je verkwanselt een waardevol stuk van de psychiatrie, en ik begrijp niet waarom. In ieder geval ga je veel te hard, dat wekt alleen maar weerstand. Als je zo doorgaat nemen wij misschien wel een beslissing die jou niet aanstaat.

Nico voelde de woede door zijn borst gieren en spande zich tot het uiterste in zich te beheersen.

– Denk er nog maar eens over na, zei hij kort.

Op de parkeerplaats stond het hoofd personeelszaken te keuvelen met de garagehouder naast een schitterende auto. Ze vielen stil toen Nico naderde.

– Voor u, zei de autodealer. Nico trok zijn wenkbrauwen op.

– Ik heb geen nieuwe nodig, wat ik heb bevalt me prima.

– Dit is er een uit de serie voor directeuren, zei de personeelsman. Bruggink had er ook zo een, dit is het nieuwe model. Je hebt er recht op, hoor.

– Ik wil hem niet, zei Nico ongeduldig. Zonde van het geld. Loze status, conventies, opschepperij. Besteed dat geld maar ergens anders aan.

– Hij rijdt als een schip, u moet het eens proberen, zei de garagist opgewekt. En alles erop en eraan. RVS, PPV, PBS, cruise control, navigatiesysteem, alles!

Over de schouder van de man zag hij Eva lopen. Ze droeg in haar hand een opgevouwen zakdoek waar iets in hing. Hij nam afscheid en liep achter haar aan.

– Hoi. Hij viel bij haar in de pas en keek vragend naar de zakdoek.

– Morieljes, zei ze, kijk maar. Ze liet de zakdoek openvallen en toonde een hoopje bruinige paddestoelen met broze stelen. Een intense bosgeur steeg eruit op.

– Je moet ze drogen, dan verdampt het gif en kun je ze bewaren. Ze vouwde de zakdoek weer dicht.

– Ze staan met tientallen daarginder, bij die dennen. Ik kon het niet laten er een paar mee te nemen. Ze draaide zich om en wees naar de bomenrij bij de uitgang. Nog steeds stonden daar de twee mannen bij de glimmende auto.

– Ga je mee, vroeg Nico ineens, ga je mee een proefritje maken?

Ze liepen terug en trokken de zware portieren open.

– Ik heb me bedacht, ik wil hem toch even proberen, zei hij.

Eva legde de paddestoelen op de vloer. De auto rook meteen naar bos. Hij liet zich vallen in de zachte leren stoel die hem omsloot. De motor zong. Zachtjes liet hij de koppeling opkomen. De kiezelstenen kraakten, de bomen schoven langszij, na enkele soepele polsbewegingen lag het ziekenhuis achter hen en zweefden ze over de weg. Eva zette de radio aan, hij hoorde een strijkkwartet van Schubert met een klagende, meeslepende vioolmelodie. Ze begon knoppen in te drukken onder het kleine beeldscherm naast het stuur. Rozige, ovale nagels. Op het scherm verscheen de weg waar ze op reden. Als een ster gleed de auto over de hemelsblauwe achtergrond.

– Ik heb Antwerpen ingesteld, zei ze. Daar wil ik zo graag eens heen. Honderdtweeëntachtig kilometer.

Ik neem hem, dacht hij. Een auto met mogelijkheden; ik moet niet zo benepen doen, ik moet genieten van muisgrijs leer, muziek, deze motor. Hij liet de auto even grommen en nam de eerstvolgende bocht. Met open ramen zoefde hij de hekken weer binnen.

*

Op de dag van zijn afspraak met Albert regende het. Een informele evaluatie, had Albert gezegd. De Raad van Toezicht wilde de vinger aan de pols houden in een overgangssituatie, de raad was zijn klankbord en steun en hechtte eraan een open dialoog met de nieuwe directeur te voeren. Laten we gewoon samen gaan eten, zei Albert door de telefoon, achter het station, het is een gribus maar de keuken is uitstekend en je zit er rustig, ze hebben daar geen muziek.

Het restaurant lag op een pier en was aan drie zijden omgeven door water, als een boot die tijdelijk was afgemeerd, klaar om weer te vertrekken.

Hij vond een plaats voor zijn nieuwe auto en stapte met enige tegenzin uit de geurige warmte de regen in. Een jas had hij niet meegenomen; haastig en huiverend holde hij langs het water de pier op. Van de andere kant kwam Albert aanlopen met een geheven paraplu. Ze schudden elkaar de hand op het plankier. Regen sloeg in het zwarte water; golven kletsten tegen de palen; door de ramen van het restaurant viel gelig licht.

Albert liet hem voorgaan, over hoge drempels, door krakende, smalle deuren. Een ober wees hen een plaats in de erker. Aan de overkant van het wijde water glommen de lichten van Noord.

– Ik was blij te horen dat je die auto hebt genomen. Je moet passend vervoer hebben, dat verwacht men van je en dat is ook goed. Rijdt hij lekker?

– Prima, zei Nico, ik ben er blij mee. Hoewel ik meestal op de fiets ga. Een niemandsland tussen werk en thuis, je kunt even nadenken, je bent even alleen.

Albert keek hem keurend aan.

– Je bent vermagerd. Werk je te hard? Laten we afspreken dat we dit gesprek vertrouwelijk en informeel houden, ik wil gewoon een indruk krijgen van je functioneren, of je het naar je zin hebt, je visie op het verandertraject, je eventuele problemen in de samenwerking met deze of gene. Persoonlijk, ik wil het zelf graag weten. De officiële evaluatie komt later wel, in een gewone vergadering. Ik heb het gevoel dat ik zelf m'n nek heb uitgestoken door jou aan te stellen, dus ik blijf graag geïnformeerd over de voortgang. Een borrel?

Terwijl Albert sprak voelde Nico de spanning uit zijn schouders wegvloeien. Albert had een betrouwbaar kapsel: kortgeknipt, een strakke scheiding, ontsnappende rechtopstaande haartjes op de kruin. Een onberispelijk driedelig pak, een das met felgele stipjes erin, een jongensachtige stem. Ze dronken. Hij liet zich wiegen door de woorden van de ander: dat ze elkaar al zo lang kenden, dat hij een betrokken en hardwerkende psychiater was, dat het vast moeilijk voor hem was geweest om onder Hein Bruggink te werken, te buigen voor de tucht van de markt. Albert had bewondering voor de manier waarop hij toch de echte ziekenhuisdoelen had proberen na te streven binnen die commerciële kaders.

We gaan die jongen een kans geven, had hij tegen zijn mederaadsleden gezegd toen Bruggink zijn aftreden had aangekondigd. Hij moest begrijpen dat de Raad van Toezicht geen beleid maakte en geen uitspraak deed over de koers die het ziekenhuis moest varen, dat was het privilege van de Raad van Bestuur; de Raad van Toezicht diende zich er alleen van te vergewissen dát er een beleid was en dat dat op een goede manier vorm kreeg. Hij, Albert, had zijn twijfels gehad over de aanpak van Bruggink, een ziekenhuis is geen winkel, maar economisch waren het goede jaren geweest en ook heerste er interne rust. Behalve de rel om het crisiscentrum dan. Persoonlijk zag hij meer in een zuiver inhoudelijk beleid, onder ons gezegd; vanavond had hij, in deze gezellige erker, een mening. Minder branchevervaging, meer specifieke zorg en behandeling. Daarom had hij vierkant achter Nico gestaan.

– Ik steun je, jongen, je kunt op mij rekenen. Je Plan van Aanpak was duidelijk. Waar ik me wat zorgen over maak is de snelheid waarmee je het door de organisatie jaagt. Die mensen moeten nog helemaal omschakelen; ze waren verkopers en ze moeten weer behandelaars worden. En dan ga je afdelingen sluiten, bezettingen omgooien, taken veranderen – allemaal logisch en verantwoord, maar de mensen zien dat niet meteen. Die voelen zich afgedankt.

De paté werd opgediend. Albert had een heel goede rode wijn uitgekozen. In de ramen zag Nico de rusteloze golfjes weerspiegeld. Hij keek naar het ernstige gezicht tegenover zich.

– Tja, geduld is niet mijn sterkste kant. Als ik eenmaal zie waar het heen moet wil ik het ook meteen realiseren, de rest is ballast, zonde van de tijd. Ik weet wel dat mensen dat moeilijk vinden. Op cursus zouden ze moeten. De psychiaters op studiereis, naar een spectaculair project met uitgebluste schizofrenen in

Amerika. En dan interne conferenties, en hen zelf stukken laten schrijven, lezingen laten houden, stappenplannen laten maken. Ik wéét het wel, maar ik sla het liever over. Stom. De OR heb ik al tegen me.

– Ja. Molkenboer belde mij. Helemaal opgewonden, alleen nog maar bezig met dwarsliggen en afremmen. Daar moeten we wel wat aan doen, je hebt die mensen hard nodig.

Nico zuchtte en dacht aan de gevulde ribfluwelen dijen van Molkenboer. Het moest.

– Ik zal gas terugnemen. Een educatief plan opstellen. Een 'lerende organisatie', wat vind je daarvan? Maar die TG gaat eraan, daar wil ik niet mee wachten. Die therapeuten worden als eersten omgeschoold.

– Wat heb je daar toch tegen? Die mensen doen toch geen kwaad?

Het hoofdgerecht was gekomen. Ze sneden met puntige, scherpe messen in donker vlees. Een tweede fles. Over het water voer een schip met helverlichte ramen waarachter mensen stonden te drinken.

– Ach, ze mogen hun gang gaan, maar liever niet op mijn terrein en op mijn kosten. Wij zijn er voor de echte psychiatrische aandoeningen, de serieuze ziektes. Zij behandelen problemen. Dat moet dan maar in een probleeminstituut, niet in een ziekenhuis. Het kost ook handenvol geld, en ze zitten nooit vol. Een zwakke plek is het, zowel inhoudelijk als economisch. Ik houd niet van vaagheden. Ik wil dat ze plannen maken, die uitvoeren en vervolgens kijken of het klopt. Zij denken helemaal niet zo.

Albert kauwde nadenkend.

– Tja, als de bezettingsgraad zo mager is moet je er misschien inderdaad eens kritisch naar kijken. Het zal wel herrie geven. En het is een cadeautje voor de OR, om hun tanden eens lekker in te zetten. Volgens jou levert het geld op?

– Jazeker. Dat ga ik investeren in de nieuwe rehabilitatieafdeling. Goed besteed geld.

Ze fantaseerden over nieuwbouw, architecten en aannemers tot het tijd was voor het nagerecht, dat ze beiden inruilden voor koffie en cognac.

– Ineke vertelde dat ze Loes gesproken heeft, zei Albert onverwacht. Ze vond haar een beetje stil. Wat vindt zij van je promotie?

– Ik weet het niet. Wel goed denk ik. Ze bemoeit zich nooit zo met het ziekenhuis.

– Druk met haar baan?

– Ja. Gewoon. En ze is altijd in de tuin bezig.

– Je moet het me niet kwalijk nemen dat ik het zeg, maar ik denk dat het toch wel belangrijk is in zo'n zware functie als de jouwe dat je voldoende steun van het thuisfront hebt. Iemand die met je meedenkt, die het in de gaten heeft als je overwerkt raakt, iemand met wie je eens iets ontspannends kunt doen. Nou ja, geen twee huwelijken lijken op elkaar natuurlijk, maar ik heb aan Ineke wat dat betreft altijd veel gehad. Ze stáát erop dat ik voldoende vakantie neem bijvoorbeeld. Moet je ook doen! Wanneer zijn jullie voor het laatst weg geweest?

Nico haalde zijn schouders op. Hij zag het huis in de duinen voor zich, met de sombere bomenrij, de oprijlaan, de stukgegraven tuin. In de keuken stelde hij zich Loes voor, gebogen over de plattegrond van haar moestuin, haar gezicht verborgen onder het donkere haar.

– Er was steeds wat. En we zitten vast aan haar schoolvakanties. Loes is niet zo'n reiziger. We houden allebei wel van hard werken, eigenlijk.

Hij moet ophouden, dacht Nico. Deugt je huwelijk wel, gaan jullie nog weleens samen op stap, wordt er regelmatig een goed gesprek gevoerd? Wat heeft hij daarmee te maken? Straks vraagt hij nog hoe het met onze dochter – nee, onzin, daar weet hij niets van. Hij kon zich niet voorstellen dat Loes tegen Ineke iets had laten doorschemeren. Dat zij samen zwegen, dat er geen naam werd genoemd, geen herinnering opgehaald, geen toespeling werd gemaakt was hun hechtste afspraak. Daar kwam niemand tussen. Het onbespreekbare was de kern van hun verbond geworden. Dacht hij. Hij rechtte zijn rug. Zo aan een tafel hangen, drinken en kletsen was prettig, tot op zekere hoogte, maar altijd kwam er een moment dat de onveiligheid en de machteloosheid toesloegen. Dat moest je vóór zijn; je moest de waakzaamheid nooit laten verslappen, je moest altijd op kunnen staan om iets te gaan ondernemen.

Hij nam afscheid van Albert, die hem peinzend nakeek.

Liever de tucht van de markt dan de terreur van de welwillendheid, dacht hij toen hij naar zijn auto sjokte. Hij had te veel gedronken en ergerde zich dat hij het zware gevoel niet uit zijn benen kon krijgen. Er was ook iets met zijn hoofd, hij bleef haken aan beelden en zinnen uit het gesprek, liefhebberijen had Albert gezegd, die waren van belang – hij zeilde met z'n zoons en knutselde zelf aan een antieke auto. De voorstelling van een ranke zeilboot met drie stevige mannen aan boord kon hij niet weg krijgen. Hij sidderde bij de gedachte dat Albert hem zou uitnodigen om in het weekend samen de automotor te ontleden of wat je met die dingen deed. Wat was hij toch een lul dat hij de vriendschap van zo'n aardige man niet op prijs stelde. Wat wilde hij dan?

Tegenstand. Alert zijn, paraat, geconcentreerd. Een stil gevecht, om te weten wie de macht had. Dat de verliezer zijn voeten likte maakte hem licht misselijk. Wie verloor moest woedend blijven, anders was er nergens meer weerstand. En weerstand hield hem overeind.

De pont botste tegen de walkant en liet een zwerm donkere fietsers uitstromen over het natte asfalt. Het regende niet meer.

Hij liet de motor warmlopen en koesterde zich in de vlagen warme wind die de blower de auto in blies. Langzaam manoeuvreerde hij zijn voertuig de parkeerplaats uit. Hij voegde zich in de stapvoets rijdende file die achter het station langs schoof. Onder het schild van woede bespeurde hij een verlatenheid waar hij geen zin in had; de vriendelijke houding van Albert maakte dat hij zich verloren voelde en zijn houvast kwijt was. De ander liet hem merken dat hij tekortschoot, iets niet begreep, niet aanvoelde. Hij was niet in staat de roos te aanschouwen. Hij kon het niet.

Waarom reed iedereen hier zo langzaam? De bestuurder van de auto voor hem had zijn gezicht naar de straatkant gericht en leek de achtergevel van het station af te speuren. Nico volgde zijn blik. Vrouwen. Hoeren. Alleen, in kleine groepjes, geleund tegen de muur, balancerend op de stoeprand. De auto voor hem stopte, een vrouw met lange benen in hoge, glimmende laarzen boog haar tanige gezicht naar het portier. Nico passeerde. Langzaam.

Aan het eind van het gebouw, waar de straatverlichting schaarser was, stonden twee figuren. Een jongen en een meisje, zag hij toen hij dichterbij kwam. De jongen leunde met zijn rug tegen de blinde muur en rookte. Het meisje stond tegenover hem met haar armen over elkaar. Iets in haar houding – haar spichtige, wat naar voren gerichte schouders, de stand van haar uiteengeplaatste voeten – deed hem zijn adem inhouden. Zonder dat hij bewust het pedaal had ingetrapt kwam de auto tot stilstand. Hij keek.

Ze droeg een grijze jas die hij niet kende, met een capuchon over haar hoofd. Platte schoenen – die rechte kuiten!

Hij nam geen besluit, hij had geen gedachten, maar zijn rechterarm had het raam geopend. De jongen keek hem recht aan en zei iets tegen het meisje, wijzend met zijn duim. Ze draaide zich om. Hij hoorde haar schoenen schuren op de tegels.

Het gezicht. De grijze, smalle ogen iets te dicht bij elkaar. De rimpel over het voorhoofd. De gelaatsuitdrukking tussen angst en misprijzen in. Ja. Ja! Hij hing scheef over de passagiersstoel en keek schuin naar haar op. De mond was donkerrood aangezet; het haar kortgeknipt en rood geverfd. Ze gaf geen enkel blijk van herkenning, trok alleen haar wenkbrauwen op.

– Hij wil een wip, zei de jongen. Kun je wat verdienen.

Ze keek over haar schouder en grijnsde. Toen ze zich weer naar Nico wendde spatte de woede uit haar ogen.

– Viezerik. Rot op.

Ze ziet me niet, dacht hij. Ze is het niet, ik heb me vergist. Het is donker in de auto, ze kan me niet herkennen. Hij prutste aan het lampje boven de achteruitkijkspiegel, zat ineens met de plastic huls in zijn handen, reikte naar het portier om het te openen en op die manier licht te maken, hij trilde van inspanning.

– Wacht, zei hij, wacht, ik kom!

– Opzooien, ouwe, riep de jongen, ben je doof of zo?

Het meisje boog haar hoofd, omkranst door het vreemde haar, naar het raam; eindelijk dacht hij, ze gaat luisteren.

Ineens trof een lauwe kwat spuug hem tegen zijn gezicht, drong in zijn oog, droop langs zijn kin.

– Viezerik, zei ze nog een keer. Ze draaide zich om en liep hand in hand met de jongen weg.

Met ijzige rust tastte hij naar zijn zakdoek, wreef hij zijn gezicht schoon, monteerde hij het kapje op de lamp, sloot hij het raam, reed hij de weg op.

Loes was al naar boven; het licht in de kamer had ze uitgedaan maar in de keuken brandde de lamp boven het fornuis. Hij pakte een flesje bier uit de ijskast en ging aan tafel zitten. Hij trommelde met zijn vingers op het tafelblad en wachtte tot het schuim in zijn glas was gezakt. Geen paniek. Morgen was er weer een dag. Er moest een plan komen om de relatie met de ondernemingsraad te herstellen. Hij moest een werkconferentie op touw zetten. De werknemers van de therapeutische gemeenschap zou hij toespreken. Morgen.

Hij deed zijn schoenen uit, doofde het licht en sloop naar boven, als een inbreker in zijn eigen slaapkamer. Loes was een zwarte vlek op het kussen. Ze had de gordijnen opengelaten en langzaam wenden zijn ogen aan het grijze licht. Haar kleren op een stoel. De telefoon. De wekker. Hij rukte zijn hemd uit, smeet het op de grond, stapte uit zijn broek, stroopte zijn sokken af. Naakt schoof hij naast haar. Slapen, nu.

Hij viel in slaap als een drenkeling. Zonder enig protest zonk hij naar de diepte, waar hij gewichtloos zweefde terwijl er regelmatig oude lucht uit zijn neus kwam. Zijn lichaam lag met ontspannen zwaarte op de matras.

Met tegenzin dreef hij naar de oppervlakte toen een schel gerinkel zich niet langer liet negeren. Hij drukte zich half overeind, staarde verbaasd naar wekker en telefoon, begreep even helemaal niet wat eraan de hand was.

– Telefoon, zei Loes, ben je wakker?

Hij nam op. Zijn stem kraakte toen hij zijn naam zei.

– Brand! In Duinrand. Brandweer komt eraan. U bent gewaarschuwd. Volgens rampenplan. U komt?

– Jazeker. Ik kom eraan. Tot zo.

In het halfdonker zag hij Loes' ogen blinken. Ze lag te kijken hoe hij zich aankleedde, haar handen lagen open op het dekbed, wit, machteloos. Iets drong zich naar voren in zijn denken, iets van gisteren, iets onzegbaars. Weg ermee; waar zijn de sokken, een trui, sleutels?

– Ik moet even weg. Brandalarm. Misschien is het een oefening, dan ben ik gauw weer terug.

Hij roffelde de trap af, graaide een leren jack van de kapstok en sloeg de deur achter zich dicht. Buiten rook het naar zout en vocht. Voor hij in de auto stapte keek hij naar boven, naar de bleke schim voor het raam die naar hem zwaaide. Hij wuifde terug.

Met kinderlijke opwinding sjeesde hij naar het ziekenhuis, met groot licht en veel te hoge snelheid. Hij floot een liedje, kneep zich in zijn dijen, grinnikte. Het gaf geen pas zich op een fik te verheugen, maar het was niet tegen te houden. Hij reed met open raam maar rook nog niets. Pas toen hij het ziekenhuisterrein op draaide drong het tot hem door dat het ernst was: achterin, tegen de spoorlijn aan, hingen diepzwarte vettige rookwolken. Hij parkeerde en begon te rennen, eerst over het brede pad, later doorstekend via kleine weggetjes. Boomtakken sloegen in zijn gezicht en brandlucht drong in zijn neus. In de verte hoorde hij de sirene van de brandweer.

Dichterbij klonken stemmen; gehaaste bevelen van het personeel, geschrokken uitroepen van patiënten. Vreemd dat je iemand meestal aan de stem als patiënt kon herkennen. Zou je eens onderzoek naar moeten doen. Stemdiagnose. Spreekt u maar. Dank u, ik weet het al.

Hij verminderde zijn vaart. Paviljoen Duinrand stond knetterend te vergaan en zond enorme golven hitte uit. De bomen tegenover de ingang lieten verzengde bladeren recht naar beneden hangen. Een groepje patiënten in pyjama, op blote voeten, werd door Erik, met zijn dikke armen, op veilige afstand gebracht. Over het brede pad kwam de brandweerauto aan, men week terug, riep, schreeuwde. Met een knal spatte een raam aan stukken; vuilgele vlammen puilden naar buiten. Even stond Nico gefascineerd naar de geluiden te luisteren. Het vuur loeide, fluisterde, vrat tikkend en knisperend aan het houtwerk, floot, zoog en knetterde. Hij schudde zijn hoofd en ging naar Erik toe.

Hij trof hem wat terzijde van de ingang, bleek maar onverschrokken. Hij gaf Nico een hand, wat een bizarre indruk maakte. Misschien onderstreepte het de ernst van de situatie, dacht Nico, maar je zou het ook als een felicitatie kunnen zien: een compleet verouderd paviljoen gratis verwijderd, met verzekeringsgeld toe voor prachtige nieuwbouw. Zo dacht Erik vast niet, en zeker niet nu.

– Hebben jullie iedereen eruit kunnen krijgen?

Erik haalde zijn massieve schouders op.

– Ik weet het nog niet. Ik geloof wel dat we de slaapzalen leeg hebben, maar of iedereen daar was? Er zijn ook mensen door de ramen gesprongen, Johan bijvoorbeeld, met mevrouw Van Overeem aan de hand!

Het is chaos. Het ging zo snel. We zaten thee te drinken en

ineens roken we het. Deur open: vlammen! De brandmelder deed het dus niet.

– Geen sprinklers ook, zeker?

– Nee, die hebben we niet. Ik ga m'n mensen wegbrengen naar de hoofdkantine. Twee collega's van de nachtdienst zijn nog aan het zoeken, en dat stagemeisje ook. Of er in de bosjes nog mensen zitten.

– Ik ga ook even kijken. Zie je straks!

Nico begon om het brandende gebouw heen te lopen, in de struiken spiedend naar gevluchte patiënten. Door de kapotte ramen zag hij brandende bedden, vitrages als vlammende vaandels, opkrullende, smeltende stukken zeil op de grond. Alles werd vernield, vernietigd, weggevaagd. Hij voelde hoe zijn hart opsprong en schaamde zich daarvoor.

De stank was ondraaglijk en hij pakte zijn zakdoek om die voor zijn neus te houden. Hij werkte zich langzaam door de bospartijen naar het hek toe en speurde het gebied nauwkeurig af, met tranende ogen. Bij het hek bewoog iets, een donkere vorm hurkte tegen de grond – een dier, een angstige patiënt, een gewonde verpleger? Hij rende erheen, verstapte zich, haakte zijn voet in een bramenrank en kwam vloekend naderbij. Het was Eva.

Ze tilde haar hoofd van haar knieën toen hij haar naam zei. Haar armen had ze om haar benen geslagen, als een compacte klont ellende zat ze tegen het hek. Smerig haar, besmeurd gezicht, bloedende hand. Hij knielde voor haar neer, spuugde in zijn zakdoek en begon voorzichtig haar wangen schoon te vegen.

– Ben je zo geschrokken, wat is er met je hand gebeurd, heb je pijn, kun je staan? Hij prevelde zachtjes tegen haar bleke gezicht en rekende niet op antwoord.

– Kom, ik help je overeind, hou je maar aan mij vast. Hij trok haar omhoog, langzaam, zorgvuldig, ervoor zorgend dat zij onmogelijk zou kunnen omvallen. Hij plukte een verschroeid blad uit haar haren, streek troostend over haar wang.

Haar lippen begonnen te trillen en hij voelde haar schouders schokken. Het wilde eruit, het verschrikkelijke vocht zich een weg naar boven, naar buiten.

– Meneer Van Raai, bulkte ze. Ineens waren er tranen en vulde haar gezicht zich met vocht. De stem werd voller, snel en onbeheerst kwamen de woorden, tussen snot en kwijl kwam haar verhaal eruit, ze schreeuwde het de holte tussen zijn armen in.

Toen de brand uitbrak hadden ze in het kantoortje gezeten, toevallig was de nachtploeg er net. Ze waren de slaapzalen in gerend, hadden de patiënten wakker gemaakt en uit bed laten komen. Er was geen tijd om de mensen die niet konden lopen in hun rolstoelen te zetten, Erik had ze een voor een op zijn rug naar buiten gedragen. Zij had de lopende patiënten voor zich uit door de gang gedreven, naar de door het nachthoofd opengezette buitendeur. Erik schreeuwde dat ze naar de kamertjes moest, er sliepen ook patiënten in kleine een- of tweepersoonskamers aan het eind van de gang. Ze waren niet allemaal bezet, als het even kon werden de mensen op de slaapzaal geplaatst, dat was beter voor het sociale verkeer, en overzichtelijker voor het personeel. 's Nachts werden ze op slot gedaan, de kamertjes, van buiten. Mensen gingen anders zwerven en spoken.

Ze had geprobeerd dichterbij te komen, maar aan het einde van de gang woedde de brand, het was onmogelijk om de deuren te bereiken. Erik kon ze niet meer vinden.

Ze was naar buiten gerend en zag Johan, de nerveuze jongen, door een kapot raam stappen. Er stond een dikke vrouw achter hem die hij aandachtig over de vensterbank hielp. Ze wees hen waar ze heen moesten en holde door naar de achterkant van het paviljoen. Daar was de kamer van meneer Van Raai, hel verlicht door de vlammen. Meneer Van Raai zelf zat midden in het vertrek in zijn rolstoel, onbewogen, met een kuif van vuur. Voor het raam, buiten, brandden de struiken. Er was geen doorkomen aan geweest. Ze had staan gillen en wijzen, maar niemand kon iets doen.

– Hij is gewoon verbrand! Ik stond erbij, ik zag het!

Nico streelde het roetige haar, fluisterde stil maar, stil maar, het is voorbij, toe maar...

– Hij deed niets! Hij bleef maar zitten! Hij brandde!

Ze snikte, ze snoof, ze zoog de vieze, rokerige lucht naar binnen.

– En ik deed niets!

– Je kon niets doen. Je hebt alles geprobeerd. Stil maar.

Hij hield haar stevig vast en legde een hand langs haar wang. Ze keek hem aan, priemend, radeloos.

Hij schikte zijn armen rond haar lichaam, streelde de smalle rug, plaatste zijn handpalmen in haar bewegende flanken, wreef haar rustig, bewoog omlaag en omhoog, een borst, een verrassende zachtheid, de hoek van een heup, een schouder die zich voegde naar zijn hand – er was ineens een warme vrouw in zijn armen die hij tegen zich aanklemde, die hij van top tot teen wilde voelen, wilde opslokken en fijndrukken – die hij omhelsde.

Met zijn hete, gebarsten lippen blies hij over haar wenkbrauwen, met zijn opgewonden tong likte hij de tranen uit haar ogen, met zijn door de rook ontregelde neus snoof hij de warmte uit haar hals. Een geur van langgeleden, een jongedierenlucht, een meisjesaroma, verbrande lente. Hij voelde haar hand in zijn nek, haar vingertoppen langs zijn oorschelp, hij rook haar opgejaagde adem. Toen pakte hij haar gezicht tussen zijn handen en at hij van haar mond. Ze opende haar lippen zodat hij haar tanden kon voelen, haar spuug kon proeven, op zoek kon naar haar warme tong. Hij dacht niet. Leunend tegen het aftandse kippengaas stond hij te doen wat er te doen was, zonder enige reserve. Dit was het. Achter zich hoorde hij het sissen van de brandspuiten, het knetteren van het vuur, het splijten van hout en het knappen van glas. Er was een grote vernietiging aan de gang op nauwelijks vijf meter afstand, maar hij stond stevig op twee benen en liefkoosde een meisje, een vrouw die uit het vuur was gekomen om hem te kussen. Dit was nu.

5

Zij zat aan de grote tafel en vertaalde Tacitus. Van alle door haar te onderwijzen schrijvers was deze haar de liefste, met zijn ontroerende zwalken tussen cynisme en mededogen en zijn sublieme evenwicht tussen vorm en inhoud. Maar zij verloor zich niet alleen in het spel van woorden en zinnen; zij luisterde met een hongerige onderlaag van haar zintuigen naar wát de grote geschiedschrijver zei, zij zocht naar de reden van de meeslepende formuleringen en zuchtte tevreden als een scherp gesneden woordenpaar exact aansloot bij zijn betekenis. Het ging over macht.

Ze was ooit lid geweest van een leesclub, een groepje van zes

vrouwen en twee mannen dat eens in de veertien dagen bijeen
kwam om een door allen gelezen boek te bespreken. Op een va
de eerste bijeenkomsten lag er een verhalenbundel ter tafel va
een schrijver die op de achterflap aankondigde dat hij 'de taa
wilde ontregelen'. Eerst had ze, in stomme bewondering, tege
dat voornemen opgezien, maar later, in haar eentje op weg naa
huis, was ze ongekend razend geworden, hardop pratend e
scheldend in haar kleine auto. De arrogantie van zo'n auteur, d
megalomane uitzinnigheid van zo'n doelstelling, het gebrek aa
inzicht in wat mensen overeind hield dat uit zo'n zinsnede sprak
Hoe durfde hij! En de uitgever drukte het trots af, als aanbeve-
ling voor de lezer, die het in zijn snobisme waarschijnlijk no
bijster interessant vond ook. De taal ontregelen. Je kon toch pa
iets ontregelen als je de regels onder de knie had, als je erbove
stond, als je op een enkel moment het totaal kon overzien. Da
pretendeerde hij dus, de verhalenschrijver.

Zij had zich door het enthousiaste meepraten van de leesclub
leden in een hoek laten drijven, zwijgend, gebukt onder het bese
dat iedereen wist waar het over ging behalve zij. De lezers kenden de regels van de taal en vonden het boeiend als die overtre-
den werden, als de schrijver liet zien hoe je de taal de baas ko
blijven.

Voor de daaronder liggende afhankelijkheid van de taal, voo
de notie dat zonder het hechte weefsel van woorden en hun on-
derlinge betrekkingen elk denken onmogelijk was, had nieman
aandacht. Zij ook niet, zij had zich laten intimideren en impone-
ren en kon pas in haar auto bedenken dat zij een andere menin
had. Dat ze blij was met het keurslijf van de taal, dankbaar voo
de structuur en de beperkingen; dat ze zich elke dag bewust wa
van de zegeningen van de regels. Ontregelde taal kende zij va
Nico's patiënten. Alzheimer vrat de hersenen van oude mense
op, zodat ze geen woorden meer konden vinden. Tumoren e
bloedingen tastten het spraakcentrum aan bij gezonde volwasse-
nen zodat ze van het ene op het andere moment nog maar éé
zinnetje konden zeggen dat ze moesten gebruiken voor alles! D
duivelse schizofrenie liet jonge mensen de taal op een nieuw
manier ervaren, zodat de woorden onvermoede, bedreigende be-
doelingen kregen en zoveel macht dat ze konden doden. Nee
liever geen ontregelingen.

Waarom had ze dat niet kunnen zeggen onder de moder

vormgegeven lampen, bij de rode wijn? Ze was niet geschikt voor sociaal verkeer, ze kon pas denken als ze alleen was. Ze had zich uit de leesclub teruggetrokken en had het boek van de ontregelende schrijver in de prullenbak gesmeten.

Nu boog ze zich over Tacitus en probeerde vlijtig de regels van zijn taal te doorgronden. Steeds als dat leek te lukken gaf dat haar een gevoel van tevredenheid en geruststelling. Misschien kun je nooit begrijpen wat iemand precies denkt, maar je kunt er in elk geval achterkomen hoe hij het zegt. Als je je best doet.

De bel. Een vrachtwagen van het tuincentrum stond achterstevoren op de oprijlaan. Voor haar stond de bijrijder, met papier en potlood in de hand. Over zijn schouder zag ze de laadbak omhoog komen. De zwarte aarde begon te schuiven, aan de oppervlakte kwamen korrels en kluiten in beweging en roetsten neer op het plaveisel; het grootste gedeelte van de massa leek zich nog even aan de rand vast te klemmen maar bezweek aan zijn eigen gewicht, aan de steiler wordende helling, en plofte zwaar tegen de grond.

– Effe een krabbeltje hier, zei de man die op haar stoep stond. Ze pakte de pen aan, tekende en bleef bewegingloos toekijken hoe de auto de laadbak liet zakken en op hoge wielen verdween.

Waar Nico's auto zou moeten staan lag een enorme berg vruchtbare grond, een donkere belofte van toekomstige groei.

Pas nu zag ze het toegetakelde graslandje. Haar trots was beschadigd door een ijverige of wanhopige mol die in de loop van de nacht over de kale oppervlakte van het veldje talloze molshopen had opgeworpen. Van zand.

Hoe je het ook toedekte, wegdrukte en bedolf, het gehate element vond een weg naar boven. Het grasveldje knipoogde haar toe met leedvermaak en zorgeloze superioriteit. Ze sloeg de deur dicht. Ze zou met schoppen de nieuwe aarde over de tuin verspreiden, ze zou de zandhopen weggraven, het gras met grond bedekken, de kuilen vullen. Ze zou Wessel bellen, ze zou zich niet gewonnen geven, ze zou Nico's ergernis over de verstopte oprijlaan trotseren.

Maar ze sjorde haar fiets de schuur uit en reed naar de stad, niet over het fietspad door de duinen maar dwars door het polderland, dat haar geruststelde met zijn regelmatige rechthoeken en rechte slootjes, alsof hier geen geweld aan te pas was gekomen. Ze wist dat ze loog. Landschap was oorlog, net als het ziekenhuis, de school, het gezin. De polder was een levend verwijt over gebrek aan water, geknecht en uitgezogen land dat zon op wraak. Je moeten voegen naar de dijken, je nut laten meten in termen van grasproductie, altijd dorst hebben. Heeft ze het zo ervaren, dacht Loes, was ons kind als een stil, uitgedroogd weiland, leeggegeten grond, te uitgeput om aan de verwachtingen te voldoen? Waren wij degenen die het gemaal bedienden, het water wegzogen, het rantsoen vaststelden?

Nico, dacht ze, Nico die geen zwakheid of onmacht verdroeg. En ik die daarin meeging, dacht ze, verbeten trappend, de handen toeknijpend om haar stuur. Te laf om nee te zeggen, te onzeker om tegen zijn stelligheden in te gaan, te bang om hem boos te maken. Maar hij was al boos. Boos omdat het langverwachte kind stil en schrikachtig bleef, geen plezier leek te hebben en het slecht deed op school. Ze had erop moeten staan dat hij het kind zou laten zien door een collega van de poëtische professor; iemand had echt naar haar moeten kijken, haar wezen en haar toestand tot zich door moeten laten dringen, hoe moeilijk ook, hoe erg ook. Maar ze had dat niet gedaan, uit angst dat Nico's woede zou verschuiven naar haar. Zo was zij ook een uitzuiger geworden, een verdrukker, een eisensteller. Een medeplichtige.

Structuur, had Nico gezegd, en duidelijke taken. Het kan best dat de uitgangssituatie niet zo gunstig is, maar een mens bestaat niet uit erfelijk materiaal alleen. De omgevingsinvloeden zijn minstens zo belangrijk. Wij moeten eisen aan haar stellen, haar prikkelen om de ontwikkeling op gang te krijgen, negatief gedrag negeren. Als je aandacht besteedt aan klagen, huilen en weigeren stimuleer je het juist.

Het kind liet zich niet de vooruitgang in prikkelen. Het leek of de eisen te hoog waren en haar niet uitdaagden om in actie te komen. Wat Nico negatief gedrag noemde was er eigenlijk ook niet. Ze zei geen nee, ze huilde weinig en was niet lastig. Grijs was ze. En stil.

De weilanden weken voor tuinen en huizen. Ongemerkt had ze vaart geminderd en gleed ze traag langs de bloemperken. De grond moest hier wel heel vruchtbaar zijn; narcissen stonden schitterend geel te bloeien, struiken en heesters toonden gezwollen knoppen, het gras was stevig en vet. Bij een lage heg stond een man met een snoeischaar in zijn hand. Achter hem lag een laag, breed huis met een strodak. Iets bekends in zijn postuur deed haar afremmen en ze stond even stil, zich in evenwicht houdend met één voet op de stoeprand. De man, ze zag zijn rug in een mosgroen windjack, stond rechtop, midden in zijn domein, en hief de schaar.

De appelbomen voor het huis had hij tot op hun bot gesnoeid en nu was hij bezig de heg tot heuphoogte terug te snijden. Inkorten en beknotten was het enige wat Nico weleens deed in de tuin; ook hij kon verbeten en doelbewust tegen de vegetatie tekeergaan maar moest van planten, opbinden en verzorgen niets hebben. De man snoeit graag, dacht ze, terwijl ze naar de neervallende heggenranken keek. De man is bang dat hij zelf wordt besnoeid en besneden, hij wil de vijand voor zijn en gaat tot de aanval over. Het snoeien is afweer van de angst voor het hakmes. Ze glimlachte. De man had zich omgedraaid, alsof hij haar ogen in zijn rug voelde, en keek haar aan. Hij groette, op zijn gezicht verscheen een vriendelijke lach. De heggenschaar legde hij bij zijn voeten en hij kwam op haar toe. Reikend over de geschonden heg gaf hij haar een hand. Albert, Albert Tordoir, Nico's toezichthouder, Inekes man.

– Loes! Wat toevallig dat ik je zie. Ik wilde je bellen. Zijn gezicht betrok. Ineens zag ze hoe hij er in de rechtszaal uit zou zien: streng, rechtvaardig, gewóón. Er was iets priemends en onderzoekends in zijn blik en ze wendde haar ogen af naar de tuin. Rozen had hij. Hij wel. Hier was geen zand, hier was de bodem stevig en gul.

– Kom even binnen, dan zet ik een kop koffie voor je.

Ze reed haar fiets de tuin in en zette hem tegen de garage. Uitnodigend hield hij de keukendeur voor haar open.

De keuken was minder modern en flitsend ingericht dan ze gedacht had. Veel houtwerk en open kasten met rommelig servies erin. Gezellig, eigenlijk. Zou zijn vrouw nog in bed liggen?

– Ineke tennist. Ze vertelde dat ze je laatst had gesproken.

Ze herinnerde zich de perfect geklede vrouw op het terras. Hoe kon hij met zo'n vrouw getrouwd zijn? Misschien zag ze het verkeerd en was Ineke aardiger, of anders, dan zij dacht. Hij heeft een vriendelijk gezicht. Hij wás ook een rustig en prettig mens; ze had een paar keer naast hem gezeten bij feestelijke ziekenhuisdiners en had zich bij hem op haar gemak gevoeld.

– Ik heb onlangs met Nico gegeten. Dat weet je zeker wel. Dat is de reden dat ik je wilde bellen. Ik aarzelde. En nu zit je in mijn keuken!

Het begon naar koffie te ruiken. Hij schonk twee bekers vol en ging tegenover haar zitten.

– Eerlijk gezegd maak ik me zorgen over Nico, en ik zou willen weten of jij die zorgen deelt. Suiker?

Ze schudde haar hoofd. Wat bedoelt hij, wat wéét hij? Ze dacht aan de tekst die ze die ochtend gelezen had, gekonkel, kuiperijen, verdachtmakingen in boudoirs en bordelen. Hoe de hovelingen bij de machthebbers in het gevlij trachtten te komen en zich daarna aan samenzwering overgaven. De dubbele bodem in alles wat er gebeurde.

Wilde hij met haar samenspannen tegen Nico? Ze moest oplettend blijven en niet zwichten voor vriendelijkheid. Maar wat zou ze graag alle verdediging opgeven, ze voelde het aan de spanning in haar spieren. Laat het gaan, geef je over, vertel hem alles.

Albert praatte intussen door.

– We zijn heel blij met hem, we waarderen het ontzettend dat hij in z'n eentje die uitdaging aangaat. We kenden hem natuurlijk al als een behoorlijk actieve en daadkrachtige psychiater. Hij heeft ideeën, en wij hebben hem graag in de positie gesteld dat hij ze kan uitvoeren.

Ja, waardering, dat was goed, dacht ze. Ze mochten blij zijn dat Nico de hele organisatie op zich nam, richting gaf aan het beleid, moeilijke beslissingen niet uit de weg ging.

– Maar ik ben bezorgd.

Albert roerde in zijn koffie en keek haar niet aan.

– Ik wil graag dat dit goed gaat. Een nieuwe koers, die kans van slagen moet hebben. We denken, ik denk, dat Nico de juiste man op de juiste plaats is, in het juiste tijdsgewricht ook. Máár!...

Waarom zat ze hier eigenlijk? Wat wilde hij kwijt? Waarom ging ze daarnaar luisteren? Wat dacht ze er zelf van? Wanneer kon ze weg?

Dat hij wel érg voortvarend te werk ging, hoorde ze Albert zeggen. Veel mensen streek hij daardoor tegen de haren in, de ondernemingsraad bijvoorbeeld. De laatste weken scheen Nico weinig geduld te hebben, het leek of hij zich moeilijk kon indenken wat zijn plannen en maatregelen voor effect op anderen zouden hebben. Vroeger had hij toch meer begrip getoond.

– Dus ik dacht: is er iets? Ik moet het je niet vragen, dat weet ik. Ik doe het toch. Zijn er problemen? Tussen jullie? Met jullie dochter? Sorry.

Dat het hem niets aangaat, dacht ze, dat moet ik zeggen. Hij heeft er niets mee te maken, hij heeft geen recht om mij zulke vragen te stellen. Ik hoef niet te antwoorden. Of breng ik dan Nico in gevaar? Misschien heeft hij gelijk, misschien is Nico aan het afglijden, is er iets helemaal mis. Aan mij heeft hij niets, ik zeg nooit wat, ik durf geen stelling te nemen. Ik leef maar half. Sinds ze weg is. En daarvoor.

– Zeg eens wat, zei Albert. Heb ik je laten schrikken? Ik vraag het in vriendschap, ik ben ongerust en jij misschien ook. Hij ging zo verschrikkelijk tekeer tegen Jaap Molkenboer, ik ken Nico helemaal niet zo. En toen ik laatst met hem ging eten vond ik hem ronduit afwezig. Méér dan verstrooid.

Als de zee bij terugtrekkend tij trok het aan haar: ze moest hem begrijpen, steunen, helpen. Dat deed een vrouw voor een man, zo moest het.

Tot haar verrassing stond ze op. Het voelde volstrekt natuurlijk, ontspannen stond ze achter haar stoel en pakte haar tas van de leuning.

– Je hebt gelijk, zei ze tegen de man tegenover haar, je bent niet in een positie om mij deze vragen te stellen, en ik zou er niet op kunnen antwoorden. Het ziekenhuis is jouw probleem, jouw leven. Ik wil me daar niet mee bemoeien.

Ze zweeg even.

– Ik ben jaloers op je rozen, ze staan er zo gezond bij.

Ze was al half buiten, hij was opgestaan en volgde haar. Zijn gezicht zag er gesloten en verstoord uit. Ze bleef praten en hoorde dat haar stem lager klonk dan gewoonlijk. Voor ze het wist had ze hem een hand gegeven en zat ze op de fiets.

Nico stond opgewonden in de telefoon te spreken toen ze thuiskwam. Zijn broek hing in plooien over zijn billen en zijn overhemd zat te ruim om zijn nek.

Met een korte, blaffende groet gooide hij de hoorn op het toestel.

– Nu ligt verdomme het managementteam ook al dwars. Facilitaire diensten in elk geval, die willen blijven verdienen aan hun prachtkeuken. En Dienst Onderzoek, die hebben een project lopen op een afdeling die ik ga sluiten.

Hij wipte heen en weer van hak naar teen. De vechthouding.

Ze zweeg.

– En het hoofd opleiding heeft bezwaar tegen het opheffen van de TG. De enige afdeling waar zijn assistenten nog iets van psychotherapie kunnen opsteken, zei hij. Juist daarom wil ik ervanaf, het leidt tot niets! Ze hebben achter mijn rug met elkaar zitten konkelen, op de vergadering vanochtend viel er geen onvertogen woord. En dan mij thuis gaan bellen! Laf! Wat vind jij daar nou van?

Ze pakte de krant. Langzaam hief ze haar hoofd en keek hem aan. Zijn verbeten kop, zijn samengeknepen lippen.

– Als die ideeën van jou zo goed zijn waarom is iedereen er dan op tegen?

Hij schrok. Ze zag het aan de plotselinge verstarring van zijn schouders.

– Val jij me nu ook al af? Hoe kun je dat nou zeggen, je hebt er toch helemaal geen verstand van?

– Ik zeg ook niks, zei ze rustig. Ik val je ook niet af. Ik stel alleen een vraag. Meer niet.

Ze sloeg de krant open. De letters van de zwarte koppen dansten voor haar ogen. Voor de tweede keer vandaag stond er een sprakeloze man tegenover haar. Hij rekende op voegzaam zand, maar sloeg stuk op een dam van basalt. Kijk hem daar nou staan, dacht ze. De weg kwijt, onthand omdat zij anders deed dan hij gewend was. Ze was zich bewust van haar felkloppend hart, de krant ritselde tussen haar trillende handen. Wat gebeurde er? Alsof ze dansten op onbetreden grond.

– Leg het me dan nog een keer uit, zei ze zacht.

Hij bleef staan en keek op haar neer, zuchtend.

– Het gaat om de illusie van het genezen. Daarom noemen ze de inrichting een ziekenhuis, dan lijkt het of er echte ziektes bestaan die behandeld en genezen kunnen worden. Soms is dat ook wel zo, maar meestal niet; als je dan toch op genezing uit bent raak je keer op keer teleurgesteld en word je uiteindelijk verbitterd en onzeker. Die hele invoelende en begrijpende bende gaat ervan uit dat je iemand totaal in kaart kunt brengen. Je laat hem die kaart zien, je verklaart wat er te zien is – historisch, genetisch, dynamisch – met pijn en moeite breng je veranderingen aan en dan is de genezing volbracht. Een fabel, een wensdroom, een leugen. Die therapeutenkliek wil het zo zien en daarom zien ze het ook, maar het is onzin. Voor de meeste zogenaamde psychiatrische ziektes bestaat geen genezing. Je bent machteloos, je kunt niets. Daarom moet je het ook niet willen. Mensen zouden eens wat meer hun ratio moeten gebruiken. Vooral artsen.

– Je overdrijft. Het kan zo simpel niet zijn. Wat is er mis met begrip?

Terwijl ze sprak dacht ze: doe het niet, hou je mond, laat hem praten. Ze zette haar voeten naast elkaar op de grond, ze vouwde haar armen voor haar borst en kneep haar lippen samen.

– Alles! brieste hij. Moet ik je een voorbeeld geven? Neem onvruchtbaarheid, een vrouw die geen kinderen kan krijgen. Moet je dat begrijpen, doorvoelen, psychodynamisch in kaart brengen? Daar word je alleen maar beroerder van en er geneest helemaal niets. Wat je moet doen is: je opties overzien en een stappenplan maken. In-vitrofertilisatie. Implantatie van een donorembryo. Adoptieformulieren invullen. Dingen doen, actie, werken. Mensen zwelgen in hun onmacht terwijl één perspectiefwijziging voldoende is om het leven weer onder controle te krijgen.

Ze keek naar zijn handen, zijn krachtig gevormde handen met de geprononceerde knokkels en de verheven aderen. Aan de kortgeknipte, schone nagels herkende je de dokter. Psychologen hadden vaak te lange nagels, met rouwrandjes. Het raakt mij niet, dacht ze, het gaat niet over mij, het gaat over hem. Ik wil niet dat het mij raakt. Ik kijk alleen maar.

– Ik zou het ziekenhuis willen opheffen, zei hij. Na mijn directeurschap moet er alleen een eerstehulppost over zijn waar psychotische of depressieve mensen op medicatie kunnen worden ingesteld. Hooguit twee maanden. Daarna gaan ze naar woon- en werkvoorzieningen in de stad. Of waar dan ook. Het ziekenhuisterrein wordt een park.

Zijn stem klonk vlak en beheerst. Alles aan hem was strak geworden de laatste tijd: zijn spieren, zijn gezicht, zijn ogen.

Er had een vreemde verschuiving plaatsgevonden in hoe hij eruitzag, in wat hij zei. Het klopte wel maar het was ook onzin. Ze dacht aan de dijkval, aan hoe op klaarlichte dag een zonnige grasdijk kon inzakken en verdwijnen omdat de onderliggende zandbedding in beweging raakte en wegspoelde. Het onbetrouwbare zand.

– Het is niet dat ik m'n werk haat, of de pest heb aan het ziekenhuis. Ik wil doelmatigheid. Overbodige en zinloze dingen schrappen. Die managers mogen ook allemaal weg; wat die zitten uit te denken, daar schiet niemand iets mee op. Ze hebben pas het gevoel dat ze werken als ze van alles zitten te veranderen en in de war sturen. Daar zit niemand op te wachten. Ik ga nog even fietsen.

Ze zag hem het fietspad op draaien met z'n blote benen en zijn jeugdige petje. Buikpijn had ze, en een wee, verstopt gevoel achter haar ogen. Ze bleef op de bank zitten met haar handen in haar schoot terwijl de avond viel.

Buiten wachtte de donkere berg tuinaarde, bewegingloos als zij. Nu de turbulentie van Nico's woorden was weggetrokken roerde zich niets meer. Hij had professionele uitspraken gedaan en had een medisch-wetenschappelijk voorbeeld aangehaald. Zij reageerde alsof ze werd afgetuigd en omvergeschopt. Kwam dat door ontregelde taal? Nee, niet de taal maar de relatie tussen taal en datgene waar de taal betrekking op had was ontregeld. Hij bedoelde iets, zij vatte het verkeerd op. Als zij de boodschap op een andere manier zou kunnen ontvangen was er niets aan de hand. Zij ging daar zelf over. Alleen was het niet waar. Het was veel ingewikkelder. Hij zei iets maar bedoelde iets anders, iets wat hij zelf misschien niet eens wist. Zij ging nergens over, zij had geen macht. Het was haar eigen schuld, háár taal was los van de gewone regels geweest, zij had het gedaan.

Ze miste hem, de man, de jongen die haar deelgenoot had gemaakt van zijn ambities. Zijn vreugde en zijn angst waren weg, misschien al bijna twintig jaar. Ze had haar hand langs zijn wang gelegd, zijn harde lippen gekust voor hij vertrok naar het wekelijkse college van de gehate professor. Ze had geweten wat hij dacht, wat hij voelde. Ze miste hem.

Ze opende voorzichtig de deur van de derde kamer. Ze maakte geen licht maar schoof de gele gordijnen opzij zodat de schemering binnenviel. Ze stond in het midden van de kamer en keek in het rond. De kast met de kinderboeken. De hoge planken met speelgoed. Het bureautje waar de naam diep was ingekrast. De gesloten klerenkast. Het smalle bed. Niets hing er aan de muur

Nergens lag rommel. Ze stond met haar voeten stijf naast elkaar en ademde oppervlakkig. Ze was een schuldige toerist in het kindermuseum.

Op de gang, op de trap kreeg ze weer de beschikking over spieren en gewicht. Ze stampte naar beneden en begon met grote gebaren haar bureau te ordenen. De administratie voor school knalde ze op de tafel, de bankafschriften en de rekeningen legde ze in stapeltjes voor zich neer. Toen Nico terugkwam zat ze driftig betaalopdrachten in te vullen. De tijd om te eten was op de een of andere manier voorbijgegaan, ze had geen honger en hij vroeg er ook niet naar. Tijd is plaats, dacht ze. Als we in de keuken zouden zitten was het etenstijd. Maar als ik in haar kamer ben is toch de kindertijd onbereikbaar. Ik moet niet verder denken, ik moet me bezighouden met wat zich aandient: de rekeningen. Vaag hoorde ze boven het gekletter van de douche, wat later registreerde ze dat hij de trap af kwam, op haar toeliep en achter haar stoel bleef staan.

– Kom je eruit?

Ze draaide zich om op haar stoel en keek hem aan.

– Nee, zei ze. Ik heb een enorme nota van het tuincentrum en op mijn rekening staat niet meer genoeg om die te betalen. Misschien dat jij dat kunt doen?

Hij knikte en liep naar het raam. Stond hij naar de berg aarde te kijken? Zag hij zichzelf weerspiegeld in het zwarte glas?

– Hoe kan het dat jij geen geld meer hebt? Ik wil het best betalen hoor, maar ik begrijp er niets van. Waar blijft jouw salaris dan?

Nu, dacht ze, nu moet ik het zeggen.

– Ik heb het weggegeven.

Oerstom. Zo'n hulpeloze, naïeve uitspraak. Weggegeven. Alsof ze met een rinkelende geldzak door de straten ging om zwervers te bedelen.

– Ik heb de tuinman betaald, zei ze. Ze probeerde haar stem vast en overtuigend te laten klinken.

– Hoeveel dan?

– Vijfentwintigduizend.

Woedend zal hij nu worden. Hij zal me spugend van razernij uitmaken voor alles wat zwak en dom is, hij zal zijn handen van me af trekken.

Maar hij begon te brullen van het lachen. Gierend sloeg hi
zich op de knieën en de tranen spatten uit zijn ogen.

– De tuinman! De gelukkige tuinman!

Hij viel neer op een stoel en legde zijn armen op tafel. Daaro
liet hij zijn hoofd rusten. Hikkend en hijgend kwamen zijn woorden.

– Prachtig. Ik hoop dat je er plezier van hebt. De tuin. He
kost een centje, maar dan héb je ook wat.

Toen hij tot rust was gekomen stond hij weer op. Hij tro
haar omhoog en omhelsde haar.

– Loesje. Wat ben je toch onvoorspelbaar. Zelfstandig. En wa
een beslissingen neem je. Ik hou van je, echt.

Onder invloed van zijn explosieve vrolijkheid was ze gaa
glimlachen hoewel ze zich verre van blij voelde; de grimassen o
haar gezicht leken allengs vreugde bij haar op te roepen – misschien was ze opgelucht dat ze de verwachte woede ontliep, misschien deed het haar goed hem weer eens te horen lachen; z
wist het niet en het kon haar ook eigenlijk niet schelen. Schate-
rend tolden ze samen door de kamer terwijl hij steeds maar 'd
tuinman, de tuinman' riep en zij antwoordde met 'vijfentwintigduizend gulden!'

Ze klemden zich aan elkaar vast, wanhopig, dacht ze even, nee
blij, verlicht, hoopvol.

Onder aan de trap bleven ze staan. Hij kuste haar, ze liepe
met de armen om elkaars middel de trap op. Niet naar die deu
kijken, die dichte deur, doorlopen naar het bed, daar nog na-
schokkend van het lachen op neervallen, zijn gewicht voelen, zij
lichaam opvangen met het hare, armen, benen, buik voegen naa
dat zware, dat onheilspellende en vurige lijf dat bezit van haa
nam waar ze bij lag.

Hij sliep. De lach was van zijn gezicht gevaagd en had plaats gemaakt voor een verbeten, verbitterde uitdrukking. Hij lag plat o
zijn rug, het hoofd midden op het kussen, de tot vuisten gebald
handen op de borst. Ze schoof haar hand daaronder en kruld
zich langszij. Ze bracht haar hoofd naast het zijne en raakte bijn
zijn oorschelp met haar lippen.

– Het is niet waar, fluisterde ze. Het was niet voor de tuinman. Waarom zou ik die jongen zoveel geld geven, dat zou toc
nergens op slaan. Hij is niet zomaar een tuinhulp, hij is ee

boodschapper. Hij helpt mij. Hij kent Maj.

Ze wachtte even, maar hij reageerde niet. Regelmatig bleef zijn adem stromen, niets veranderde er aan zijn houding, glad lagen de oogleden boven de wangen.

– Hij heeft het geld voor haar meegenomen. Om zich in te kopen in een huis, dingen aan te schaffen, te leven. Hij zegt er nooit iets over, ik vraag het niet, ik geef de enveloppe en hij knikt en steekt hem weg. Ik geef geld aan mijn dochter, onze dochter. Zoals elke moeder. Zo is het.

Nico snurkte. Ineens draaide hij zich naar haar toe en sloeg een arm om haar heen.

– De tuinman, zei hij met gezwollen tong, je hebt het over de tuinman!

Hij grinnikte en drukte haar vaster tegen zich aan.

– Ja, zei ze, ja.

6

Hij drukte het knopje van de chronometer in toen hij de poort uit draaide. Vijf seconden langzamer dan gisteren. Shit. Zijn kuiten leken gevuld met pap en hij hijgde. Op de parkeerplaats stond zijn nieuwe, zilveren auto rustig te glimmen. Was hij niet goed wijs dat hij zich afbeulde op de fiets? Ieder ander zou zich het plezier van het rijden in zo'n prachtwagen niet laten ontnemen. Zijn hemd was nat en hij voelde een doffe pijn in zijn rug. Doorzetten, niet opgeven. Het lichaam moest wennen; hij moest niet toegeven maar rustig en beslist zijn eisen stellen, elke dag weer. Met de hand op het smalle zadel stuurde hij de fiets naar binnen, langs de portiersloge, waar een man met dikke brillenglazen en open mond naar een scherm zat te staren.

– Goedemorgen!

De man keerde zijn gezicht naar Nico toe en maakte aanstalten iets te zeggen. Nico wachtte daar niet op en liet de glazen klapdeur achter zich dichtvallen. Hij zette zijn fiets in de ongebruikte spoelkeuken aan het begin van de gang en beende naar zijn kamer. De deur stond open. Vreemd. Misschien was Alice zijn bureau aan het opruimen. Moet ze niet doen. Lekker onder de douche zo meteen, daarna zou hij zich beter voelen. Hij hoorde geroezemoes toen hij dichterbij kwam. Was er nog een schoonmaakploeg aan de gang? Sigarettenrook dreef hem tegemoet, het maakte hem razend, hij wilde niet dat er gerookt werd in het hoofdgebouw en dat had hij duidelijk kenbaar gemaakt. Hij haalde diep adem om eens flink uiting te geven aan zijn gram en stapte zijn kamer binnen.

De woorden bleven in zijn mond plakken van verbazing. De kamer was gevuld met mensen, zeker vijfentwintig, schatte hij snel. Ze leunden tegen de boekenkasten, zaten op het bureau, in de vensterbanken, op de grond. Ze rookten zelfgedraaide sigaretten en kauwden kauwgum. Jonge mensen, sommigen met een gepijnigde uitdrukking op hun gezicht, anderen baldadig maar allemaal gespannen en ontstemd.

Het gepraat was verstomd maar niemand keek hem aan. Op de hometrainer zat een jongen met een enorm lichaam die zijn rode hoofd over de wijzerplaten had gebogen.

Nico bleef zwijgend in de deuropening staan, zich pijnlijk bewust van zijn blote benen en het petje op zijn hoofd. Uiteindelijk liet een vrouw van een jaar of dertig zich van het bureau glijden. Ze schudde haar haren los, klemde haar handen achter haar rug in elkaar en begon met opgeheven kin te spreken.

– Dit is een bezetting.

Het kwam er wat schor uit. Ze schraapte haar keel en begon opnieuw.

– Wij hebben uw kamer bezet. We gaan niet weg voor onze eisen zijn ingewilligd. Wij willen dat de therapeutische gemeenschap blijft bestaan. Die is onmisbaar. Wij willen daar blijven. Er moet een eind komen aan machtsmisbruik en afbraak van de voorzieningen. Wij eisen continuïteit.

– Cliëntenraad, fluisterde een jongen op het bureau.

– We hebben de cliëntenraad ingelicht, zij zijn het met ons eens. Jos hier zit daar trouwens in. Wij vinden dit zo ernstig dat we zelf in actie zijn gekomen. Als patiënten van de TG. En van de poli.

De jongen stopte een papier in haar hand.

– Wij overhandigen u een brief met onze eisen. Wij willen blijven. Sluiting is uitbuiting. Leve de TG!

Er ging een halfhartig gejuich op. De vrouw reikte Nico de brief aan. Hij maakte geen aanstalten hem in ontvangst te nemen maar bleef zwijgend staan kijken. De man op de hometrainer keek op zijn horloge.

– Ik moet nu naar therapie, zei hij. Over een uurtje kom ik terug.

Onhandig tegen zijn medebezetters botsend liep hij naar de deur.

Nico keek naar de smerige gymschoenen, de gevlekte broek, het grote, gezwollen gezicht en merkte dat er een ijskoude woede in hem opkwam. Kijk ze daar zitten, dacht hij, te bang om boos te worden, vol wrok maar onmachtig om wraak te nemen, vol verwijt maar niet in staat dat op een volwassen manier over te brengen. Kinderen zijn het! Veel te grote, veel te onzekere kinderen. In hun overmoed waren ze zijn kamer binnengedrongen, ze hadden zich wellicht laten opstoken door hun laffe therapeuten – assertief zijn, je eigen gevoel volgen –, die zelf natuurlijk rustig in hun veilige behandelkamers de gang van zaken zaten af te wachten. Kinderen van in de dertig die te stom waren om de strategie van hun behandelaars te doorzien, die zich met enthousiasme lieten misbruiken, die op zijn bureau zaten met hun luie achterwerken en met hun nerveuze vingers zijn papieren betastten. Die hun smerige as op zíjn tapijt lieten vallen.

De grote jongen wilde eruit maar Nico stond in de deur en week niet.

– Mag ik erdoor? Ik moet naar therapie.

Hij rook een zure lucht uit de vieze kleren. Een bittere ondertoon: angstzweet. Waarom kreeg hij nu geen medelijden met de jongen, een patiënt nog wel; waarom werd hij met de minuut razender, moest hij zich dwingen zijn handen stil te houden tegen de deurpost? Ze moeten weg, dacht hij, ze hadden allang weg gemoeten. Kinderen moeten het huis uit, weglopen, hun eigen leven ontwerpen en niet angstig zitten wachten of de ouders boos worden als ze ongehoorzaam zijn. Niet op de grond gaan zitten en smeken of ze alsjeblieft mogen blijven! Weg moeten ze, het terrein af, de stad in!

Zijn hand trilde toen hij de deurpost losliet. Hij draaide zich om en vertrok.

Stampend ging hij op weg. Het contact met de harde grond deed hem goed. Hij liep harder en harder, tot hij het vertrouwde tempo van het rennen bereikt had. Zo, regelmatig en beheerst hollend, was hij op weg naar het gebouw waarin de TG was gevestigd. Op de vlucht. Dat hij weg moest uit zijn bezette kamer hadden zijn benen hem duidelijk gemaakt. Maar waarom? Hij was psychiater, hij wist wel raad met een groep angstige, onzekere, boze mensen. Toch? Hij had geleerd hoe hij te werk moest gaan, hoe hij zich diende te gedragen. Maar hij deed het niet, hij vluchtte. Voor het halfzachte ongenoegen dat uit de groep opsteeg? Welnee. Voor de harde en heldere wens om de grote jongen die op zijn trainingsfiets had gezeten niet alleen ongenadig uit te schelden en te vernederen maar ook daadwerkelijk kapot te schoppen en de armen uit zijn lijf te trekken, de vingers stuk te stampen, de ogen in te slaan. Het vernietigen van de hulpelozen, daarvoor was hij op de vlucht. Die aandrift voelde hij in zijn spieren, dat was de kracht waarmee nu zijn voeten de straatstenen ranselden. De dokter was de beul. Er woei een kille, onrustige wind.

Tussen de wuivende boomkruinen zag hij het zandgeel geverfde gebouw waarheen zijn voeten hem leidden. Hij nam vaart terug, bracht zijn ademhaling onder controle, verkleinde zijn passen.

Jaap Molkenboer stond voor de ingang een pijp te roken en keek verbaasd op toen Nico naderde. Hij staarde naar Nico's blote benen, naar de smalle sportschoenen, het bezwete shirt en trok vragend zijn wenkbrauwen op.

– Draaf je niet een beetje door met je gezondheidsregiem?

– Lul, zei Nico. Lafaard. Zo'n stel zwakko's in mijn kamer zetten en zelf buiten schot blijven. Durf je wel?

Het verbaasde gezicht werd glad en uitdrukkingsloos. De pijp werd tegen de muur uitgeklopt. Tik, tik, tik.

– Het is een zelfstandig besluit van de patiëntenpopulatie geweest. Ze verzetten zich unaniem tegen jouw beleid. Wij doen dat ook, dat weet je, maar wij hebben onze eigen kanalen. Niet dat we daar tot nu toe veel mee zijn opgeschoten, maar dat ligt aan jou. Een enkele handreiking was voldoende geweest. Als je gezegd had: Oké, we gaan overleggen, we prikken een datum. Collegiaal. Als volwassen mensen. Dan was dit allemaal niet nodig geweest. Ik heb het je onlangs nog gezegd: je maakt de organisatie kapot en het puzzelt mij waarom je dat doet. Een masochistische indruk maak je niet. Die destructieve neigingen zijn me een raadsel. Jammer dat je nooit in analyse bent geweest.

– Schijnheilig stuk vreten! Je bent bang voor je eigen positie en stuurt zo'n legertje hulpelozen erop uit om jou te verdedigen. Hypocriet!

– Dit is een zinloze discussie, zei Molkenboer kalm. Je bent in de war, misschien moet je een tijdje vrij nemen. Ik zal je niet verhelen dat het me pijnlijk treft, eerst het opheffen van de crisisdienst en nu het sluiten van de TG. Voor het eerste gold misschien een economische noodzaak; voor het tweede kan ik alleen persoonlijke motieven zien. De psychiatrische behandeling waar jouw eigen dochter niet mee geholpen kon worden gun je ook aan anderen niet. Sorry hoor, maar zo zie ik het.

Een korte beweging met enorme kracht. Een gedempt gekraak, een afgebroken kreet, een doffe smak. Molkenboer lag bloedend op de stenen, de hand voor zijn neus.

– Raad van Toezicht, fluisterde hij, de ondernemingskamer inlichten, onmiddellijk. Intimidatie, mishandeling, mis, mis...

Roze luchtbellen tussen de vingers. Stilte. Nico keek verwonderd naar de gekromde gestalte en duwde de gebarsten pijp met zijn voet de struiken in. Het was licht in zijn hoofd. In een bedaard tempo zette hij de terugtocht in, de dunne zolen van zijn schoenen scherend over het plaveisel. Hij werd duizelig. Hij moest gaan zitten. Ergens waar niemand hem zag, dáár, achter de hovenierswerkplaats, nee, hier, in het bosje, op een boomstam, een stronk, op de grond dan maar, de kleffe, muf stinkende bodem. Hij schikte zijn rug tegen een boom en trok zijn knieën onder zijn kin.

Eerst ging er helemaal niets in hem om, behalve een lichte triomf over het neerleggen van Molkenboer, waarschijnlijk teweeggebracht door een zeurende pijn in zijn rechterhand. Tot zijn verrassing lachte hij hardop. Hij schrok van zijn eigen stem. Waar had hij gisteren zo om moeten lachen? Loes en de tuinman. De exorbitante beloning van diens diensten. Welke diensten eigenlijk? Ze zou hem toch niet betalen voor andere dan bodemkundige vaardigheden? Hoe oud is die jongen? Hij kon haar zoon zijn. Nee, dat kon hij niet. Of wel, maar dat maakte niets uit. Heeft zijn vrouw een verhouding met haar hovenier, en krijgt die daarvoor uitbetaald in zwart, overvloedig geld? Hij kon het niet geloven. Loes zou zoiets nooit doen. Hij wel. Na het vuur. Na het brandoffer van patiënt Van Raai. Maar dat was anders. Vrouwen deden zoiets niet. Loes en hij waren kameraden.

Wat zij samen hadden doorstaan was zo veel, zo bijzonder – dat kon je niet delen met een ander. Zij niet. Dat kille geheim waar ze nooit over spraken was iets tussen hun tweeën alleen. Had hij altijd gedacht. Misschien onzin. De gynaecoloog wist het. De uroloog. De adoptiecentrale. Die slijmbal Molkenboer leek te weten dat er problemen waren. Geweest. Met wie sprak Loes? Ze sprak niet. Dacht hij. Ze had met Ineke Tordoir op een terras gezeten. Albert had zich paternalistisch en insinuerend gedragen. Wist iedereen het, zonder dat hij dat in de gaten had? Hij was toch niet gek. Hij was getraind in het observeren, zijn realiteitstoetsing was dik in orde. Albert steunde hem, Molkenboer was bang voor z'n baas, Loes was hem trouw. Zo was het. Als dit allemaal over was moesten ze weer eens echt samen met vakantie gaan, wandelen in de bergen, verlaten, wit, in ijle lucht. Twintig jaar geleden hadden ze hoog in de Pyreneeën gelopen, zwijgend, ontgoocheling en wanhoop als loodzware rugzakken trekkend aan hun schouders. Tegen de steile noordhelling van de berg strekte een massieve ijsklomp zich honderden meters naar beneden uit; dat was de ijskast voor het hete achterland. Hij had in een wandelgidsje gelezen hoe ijsdragers vanaf de voet van die berg op weg gingen om verkoeling te brengen naar de paleizen van Foix, van Pamiers, van Toulouse. Ze bonden de uitgehakte ijsstaven op hun rug, beschermd door een schapenvel, en begonnen te lopen. Hoe hadden ze zich gevoeld, wat dachten ze onderweg, hoe hadden ze het volgehouden? Precies zoals Loes en hij, gekromd onder een koude last die bij iedere kilometer verder in hun ruggenmerg drong. Hij had gerekend: zoveel stappen tot die kruising, zoveel tot de volgende rivier. Hij had zich doelen gesteld en die gehaald. Overzicht. Macht. Maar zij? Was ze wel vlak achter hem gebleven, gehoorzaam tredend in zijn voetsporen? Of had ze haar ijzige last laten smelten, had ze de stinkende doorweekte schapenhuid afgegooid en was ze weggesprongen tussen de rotsen, met een jonge schaapherder? Was hij alleen?

Ineens had hij het koud. Het werd even zwart voor zijn ogen toen hij, te snel, opstond. De geur van rottend loof stond hem tegen, het doelloze zitten had hem wee gemaakt en hij walgde van zijn vochtige, klamme kleren. Langzaam liep hij naar zijn kantoor.

– Ze zijn allemaal heel rustig weggegaan, zei Alice toen hij zijn kamer binnenkwam. Ze sleepte een zware stofzuiger achter zich aan.

– Ik ben maar even gaan zuigen, want het zag er niet uit. Nu is het weer tiptop.

– Dank je, zei Nico. Hij beende door naar de badkamer en sloeg de deur achter zich dicht. Water. Warmte. Hij liet de straal tegen zijn verkilde rug kletteren. Lang.

Met natte haren ging hij achter zijn bureau zitten en trok de agenda naar zich toe. Alice kwam binnen met een stapel faxpapieren in haar hand.

– De brandweer geeft het terrein nog niet vrij. Het onderzoek is niet afgerond.

Ze tikte met een pen tegen haar tanden.

– Zal ik die architect dan maar afbellen? Anders komt hij voor niets, vanmiddag. En de inspectie heeft gebeld, ze willen een gesprek op korte termijn. Over de brand. De schade-experts waren hier gisteren. Die zijn rondgeleid door Beheer en Bouw. Gaat u naar de begrafenis van patiënt Van Raai? Er wordt gezorgd voor een krans. Of u een toespraakje wilt houden.

– Hou eens op, Alice, zei hij met een zucht. Waarom kan ik die brandlocatie niet op met de architect? En wanneer dan wel? Die man heeft met spoed een opzet gemaakt voor de bouwtekening, ik wil voorwaarts. Zie jíj een researchteam van de brandweer? Ik niet. Wij moeten onze plannen uitstellen en zij doen niets. Regel jij het maar, bel de brandweercommandant, bel de architect, maak een nieuwe afspraak. Als het maar snel is.

– Hoofd Opleiding wil ook een afspraak met u, liefst meteen. Het zou vanmiddag kunnen voor u naar het zorgkantoor moet.

Hij wreef in zijn ogen, strekte zijn benen, schoof de agenda weg. De hele dag zou hij moeten luisteren naar verwijtende, achterdochtige stemmen, zou hij zich moeten inhouden, zijn plannen op de lange baan schuiven, zich beheersen, zich concentreren op wat haalbaar was, zich excuseren, zich in bochten wringen – nee. Onmogelijk. Hij kon het niet.

– Zeg alles maar af, Alice. Ik heb andere plannen.

– Maar hoe moet het dan? Iedereen wil met u praten!

– De directiesecretaresse weet hoe het moet. Dat ben jij.

Hij stond op en passeerde haar met een kort glimlachje. Op haar bureau, in de kamer naast de zijne, rinkelde de telefoon. Ze nam hijgend op, zich onhandig buigend over het tafelblad.

– O, meneer Tordoir, ja hij is hier, ik zal u doorverbinden!

Nico schudde zijn hoofd en zwaaide afwerend met zijn hand, terwijl hij de gang op liep. Hij kon haar hulpeloze gekwetter horen tot hij de glazen deur achter zich dicht liet vallen.

Hij werd verkeerd begrepen, beschuldigd en achternagezeten door mensen die hij als neutrale of zelfs welwillende medewerkers beschouwde. In de steek gelaten en bedrogen door zijn vriend, zijn kind, zijn vrouw. Niet zo melodramatisch, dacht hij, aan alles kun je wennen. Twee vragen: wat is de werkelijkheid en wat kun je doen? Op grond daarvan bepaal je de mogelijkheidsbalans.

De gedachteoefeningen werkten bevrijdend. Zie je wel, dacht hij, wanhoop is zinloos, een nutteloze last. Ik moet dit terrein even af. Een biertje drinken in het dorp. Hij zette koers naar de dorpskern, over het fietspad naast de drukke autoweg. Toeterende brommers deden hem opzij springen, zware vrachtwagens beladen met bloemen spuugden vuil gas in zijn gezicht. Doorlopen. Stappen tellen. Het doel kennen.

– Dokter! Dokter!

Een forse vrouw stond op het reepje gras tussen fietspad en rijbaan. Ze droeg een trui met vlekken, een ongelijk hangende plooirok en haar blote voeten staken in pantoffels. Ze klemde een grote rieten boodschappenmand tegen haar borst. Achter de dikke brillenglazen zag hij vriendelijke ogen.

– Mevrouw Van Overeem! Waar gaat u naartoe?

– Even oversteken. Ik zoek het trottoir.

Twee fietsers op topsnelheid schampten het achterwerk van mevrouw Van Overeem.

– Ze laten je schrikken. Hier mag je niet lopen, zei de vrouw.

Gedecideerd begaf ze zich op de weg, zonder op of om te kijken. Nico greep haar arm met twee handen en rukte haar naar zich toe. Het zware lichaam wankelde, viel tegen hem aan, bracht hem uit zijn evenwicht.

– Dat mag zeker niet, zei de vrouw. Ze keek hem teleurgesteld aan.

– U mag hier niet oversteken, zei hij kortaangebonden. U kijkt niet uit.

– Maar ik moet boodschappen doen! Voor de afdeling! Er is

geen koffiemelk meer! Hoe moet dat dan, hè, als ik dat niet doe? Dokter van de doelen?

– Rustig nou maar, we vinden wel een oplossing. Hij pakte haar stevig onder haar arm en probeerde haar om te laten draaien. Onverzettelijk, geen beweging in te krijgen. De vrouw bleef turen naar de overkant van de weg.

– Mevrouw Van Overeem, ze zitten op u te wachten. Met de koffie. We moeten gaan.

– Koffiemelk!

– Die krijgt u van mij. Als u even mee wilt lopen. Alstublieft.

Hij voelde de vastberadenheid uit haar wegvloeien. Ze had zweetplekken onder haar armen, hij snoof de zurige lucht met walging en nieuwsgierigheid op. Langzaam liepen ze terug naar de poort. Alle begin is moeilijk, dacht hij; eigen verantwoordelijkheid van de patiënten voor hun leefomgeving, tot je dienst, maar wat bezielt Erik om zo'n vrouw zomaar de snelweg op te sturen? Nee, Erik zit overspannen thuis sinds de brand. Er moet een symposium komen over het maken van stappenplannen, anders doet iedereen maar wat.

Het schoot niet op. De pantoffels sleepten over het asfalt en hij had de grootste moeite zijn wandelpartner in een rechte koers te houden. Steeds als hij opzij keek zag hij haar gezicht vertrekken in een grimas die op een glimlach leek. Haar mond hing een beetje open en ze kwijlde licht van de inspanning. De poort was nog een eind weg.

Hij ging die tuinjongen een proces aandoen. Fraude, afpersing, bedrog? Die kundige advocaat uit de Raad van Toezicht zou hem daar vast bij kunnen helpen. Z'n geld terug, dat was wel het minste waar hij recht op had. En Loes, die moest ook teruggefloten worden. Een gesprek, vanavond. Of juist niet? Beter erover zwijgen, zoeken naar zuigplekken in haar hals, briefjes in haar bureaula. Hij voelde het bloed naar zijn hoofd stijgen. Dat ze zich afgaf met zo'n stuk onbenul, een sportschoolproduct, een ordinaire oplichter. En hij moest zeker blij zijn dat ze de verantwoordelijkheid voor die klotetuin op zich nam. Met een bulldozer erdoorheen en dan overal grind storten, dat ging hij doen. Een daad. Van die onuitgesproken verwijten was hij doodziek. Als een kind uit zenuwen of misplaatst gebrek aan zelfvertrouwen haar eindexamen dreigde te verpesten had je als vader de plicht om maatregelen te nemen. Of niet soms? Hij was nog deskundig ook. Structuur bieden en eisen stellen, daar knappen onzekere mensen van op. Dat ze een sporttasje gepakt had en was verdwenen kon hij niet helpen. Loes had geen alternatief geboden, ze mocht blij zijn dat hij ingreep. Wat had hij anders moeten doen? Dat lijdzame verzet, dat gesomber, dat buigen onder het noodlot kwam hem z'n neus uit. Zich laten troosten door de tuinman, tegen betaling van grote sommen geld – hoe was het mogelijk. Hij had natuurlijk aan haar gezeten in het schuurtje met z'n gespierde armen. Zo'n lijf vol hormonen. Gevleid dat zo'n oudere vrouw met nog lekkere heupen op hem viel. Weerzinwekkend.

Toen ze de poort door waren geschuifeld begon mevrouw Van Overeem weer over de koffiemelk.

– Ik kan niet terugkomen zonder. Dat is de vernieuwing. Ik moet het zelf doen.

– Nu moet u ophouden, zei hij bars. Koffiemelk is heel slecht, je wordt er dik van. We gaan het uit het pakket halen. Vertel dat maar aan de zorgmanager. Het is nog vies ook.

Mevrouw Van Overeem leek nu aan verwarring ten prooi en dreigde totaal tot stilstand te komen. Nico hernieuwde zijn greep om haar arm en begon stevig te trekken.

– Kijk, daar is uw afdeling al. We gaan het bespreken, kom maar.

– Nee hoor, ik woon daar helemaal niet, zei de vrouw verbaasd.

– Jawel. Sinds de brand woont u daar. Ik weet het zeker.

– Ja, allemaal vuur, erg hè, zei ze. Ze begon hevig te snikken. Nico zwaaide naar een gestalte achter de deur van het paviljoen. Hij zag een arm die terugwuifde en begon al te wanhopen. Kom nou, dacht hij, kom alsjeblieft! Toen ging de deur open en kwam Eva naar buiten. Hij ademde uit.

Samen brachten ze de verhitte patiënte naar de huiskamer.

– Hoe gaat het met je? vroeg Eva. Je ziet er niet goed uit, kan ik iets voor je doen?

– Doe maar wat voor die patiënten van je, zei hij bot. Opletten dat ze niet weglopen bijvoorbeeld. Ik plukte haar onder een auto vandaan.

Ze zette mevrouw Van Overeem aan tafel, waar een paar patiënten heen en weer zaten te wiegen en in de verte staarden. Niemand had commentaar op de terugkeer van de voortvluchtige, niemand had belangstelling voor koffiemelk.

Eva liep naar het kantoortje en trok haar schort uit. Hij bleef in de deur staan en keek naar haar.

–Je kunt iets voor me doen, zei hij. Ga met me mee. Ik moet eruit, weg, ik stik hier.

Zonder een woord volgde ze hem naar buiten.

Hij klopte op zijn jasje. Mooi, portefeuille. Eva was al ingestapt. Snel draaide hij de auto de parkeerplaats uit, vermijdend naar de ingang van het hoofdgebouw te kijken waar Alice zo meteen woedend uit naar buiten zou stappen, waar misschien Albert al gearriveerd was om hem op non-actief te stellen, de politie om hem voor mishandeling te arresteren, de brandweer om hem aan te klagen. De enorme kracht van de motor bracht hem in vervoering en hij stuurde zijn auto als een tank het terrein af.

Eenmaal op de snelweg zette hij vaart en koos voor de meest linkse rijbaan, moeiteloos vrachtwagens en gekleurde pretautotjes passerend. Door de donkergetinte voorruit leek de hemel hel grijswit, alsof het zonnige lenteweer van die morgen niet meer bestond. Dankzij de airconditioning was het aangenaam koel. De ramen hield hij dicht, hij wilde dat de auto een afgesloten gebied zou zijn, zonder invloed van buiten, met eigen wetten. Zoals hij van zijn patiënten verwachtte dat ze zich buiten hun ziekte plaatsten, dat ze ophielden te zoeken naar achtergronden en verklaringen en zich louter gingen richten op een gezonde dagindeling en heilzame handelingen, zo zag hij zelf nu af van reflectie en concentreerde zich op de luttele kubieke meters ruimte binnen de zilveren schaal van de Volvo. Het weggelopen kind, de trouweloze echtgenote, de liederlijke tuinman en de verraders die hij als collega's had beschouwd liet hij achter met elke wegspattende kilometer. Hun misdaden, hun verwijt en hun woede verdampten en verloren dreiging en betekenis. Als je maar wilde kon je je gedachten dwingen zich binnen de veilige omheining van het nuttige en hanteerbare te houden. Als je maar intens genoeg wilde.

Door de dunne stof van zijn zomerbroek voelde hij het koele leer van de stoel. Op een licht suizen na was het stil in de auto. Geen muziek. Zonder enige inspanning rustte zijn voet op het gaspedaal, zijn hand op het stuur, zijn hoofd tegen de rugleuning. Niets weigerde dienst, niets lag dwars, niets wrong.

Hij keek opzij en zag Eva's profiel. Een glad, gaaf gezicht, aandachtig naar het uitzicht toegewend. De grijze rok lag zonder kreukels over de bruinverbrande knieën. Ze had haar schoenen netjes naast elkaar op de vloer gezet en steunde met haar blote voeten tegen de kaartenplank. Ze zag er rustig en tevreden uit.

Bij Schiphol zoefden ze onder een opstijgend vliegtuig door. Waar gingen ze heen? Antwerpen, had ze gezegd, tikkend op de knoppen van die idiote oriënteringsmachine naast zijn stuur. Goed, prima, maar dan langs de kust. In elk geval Zeeland. Hij wilde grenzen en afscheidingen zien, sluizen en waterkeringen. Hij wilde haar tonen dat het mogelijk was om de meest vernietigende krachten te temmen en te beheersen, dat mensen elk probleem konden oplossen als ze maar goed nadachten en zich niet door hun emoties lieten meevoeren naar terreinen waar de rede geen vat op kreeg. Eeuwenlang had men het water met gebed proberen tegen te houden, had men het karakter van de zee willen veranderen. Het was pas gelukt toen men de hoedanigheid van de zee onder ogen kon zien en op grond daarvan een stormvloedkering kon ontwerpen.

– Heb je de Deltawerken weleens gezien?

Ze glimlachte en schudde nee. Het dikke, matblonde haar bewoog over haar schouder. Van eiland tot eiland zou hij rijden, moeiteloos, over bruggen en sluizen, over gevaarlijk grijs water waar vroeger mensen zwoegden in smalle schepen, vechtend met het tij dat aan hen trok.

Dicht langs de duinen, door de stramme bossen die het duinzand moesten binden en tegenhouden. Over de dijken die de zee moesten weerstaan als het zand was weggeslagen. Een ontworpen land wilde hij haar laten zien.

In een doodstil plaatsje stapten ze uit. Er was een café in een eeuwenoud huis op een pleintje. De stoeltjes stonden op de bolle stenen van het plaveisel; ze gingen zitten met hun gezichten naar het zuiden en zagen uit op een gracht met kleine koopmanshuizen, een gemetselde brug, een waterpoortje.

Hij keek lang naar haar enkels, naar de gave knobbel van het bot, naar de blauwe tekening van de aderen, naar de okeren kleur van de huid.

Later liepen ze rond om de kerk te bekijken, de tuinen van het oude klooster en de grillige straatjes daarachter. Hij pakte haar hand, haar stevige, jonge hand. Zijn rechtervoet verlangde alweer naar de pedalen.

Hij scheurde over de waterkering en zocht zijn weg dwars door het groene land naar Vlissingen. Ze moest de boulevard zien, nog voor de avond viel, want nergens was de hemel zo lila en purper als daar. Hij voerde haar naar het havenhoofd en ze zagen hoe de zon de woeste wolkenmassa kleurde. Daarna kroop er mist uit het water en merkte hij dat ze huiverde. Hij drukte haar tegen zich aan, hij hing zijn jasje over haar schouders en vouwde zijn warme armen om haar heen.

Ze aten voor een enorm raam waardoor ze tankers en vrachtschepen met vreemde namen langs zagen varen, verrassend dicht langs de oever. Hij wees haar op het gele loodsbootje dat met grote snelheid op een schip af voer en langszij kwam. Ze tuurde ingespannen naar het schip en zag de loods als een vlekje tegen de grauwe romp omhoog klimmen. Lang voor hij boven was scheerde het loodsbootje alweer over het water. Dat de loods het bevel overnam, vertelde hij. De kapitein moest werkeloos toezien hoe de loods het schip door het verraderlijke water voerde. Ze kneep in zijn hand, ze glimlachte.

De zon was definitief onder toen ze klaar waren met eten. De hemel en het water waren zwart, er was geen maan. Ze liepen de boulevard weer op en zagen de lichten van de schepen en de grijparmen van de vuurtorenstralen over de glimmende rivier schuiven, over de zee in de verte. De auto schoof over de lege wegen naar Antwerpen. Op rotondes en middenbermen stonden narcissen op het hoogtepunt van hun bloei, met wijdopen kelken en achteruitgevouwen schutbladeren, alsof ze snakten naar zonlicht. Het was nacht.

Hij belde vanuit de auto naar het hotel en bestelde een kamer met uitzicht op de binnenplaats. Hij was welkom, zei de eigenares, de wagen kon in de garage, hij zou er seffens wel geraken, het was immers niet druk op de baan. Hij glimlachte, het was of de taal bevestigde dat alles nu anders was, dat hier nieuwe regels golden, andere dan in het gebied waar hij keurig Nederlands sprak en verstond. Hij legde zijn hand op Eva's dij en streelde de huid langs de zoom van haar rok met zijn vingers. Niets uitleggen, dacht hij, geen geschiedenissen, geen verklaringen. Niet: mijn vrouw begrijpt me niet, ze is er met de tuinman vandoor. Ik heb geen vrouw. Geen vragen. Niet: doe je dit vaker, heb je geen vriend, leeft je vader nog, ben je verliefd op me. Ik heb geen leeftijd. Hij stuurde de auto behendig de binnenstad in. Eva zat opgetogen naar de gevels te kijken. Ze had haar hand op de zijne gelegd. Hij wilde haar alles laten zien, de geheime pleintjes, de middeleeuwse stegen, de verheven promenades langs de Schelde. Hij wilde kleren voor haar kopen, geprijsd met enorme, onoverzichtelijke bedragen in Belgisch geld, parfum, sieraden, tassen. Hij wilde haar voeren met vis, met oesters, met ziltige witte wijn. Met zwarte truffels en witte pralines. Hij wilde voor haar zorgen. Het zou haar aan niets ontbreken. Zij wist dat, zij stelde dat op prijs en zou hem dankbaar zijn. Hij maakte haar gelukkig.

Hij vond het hotel in de smalle straat en voelde even de vertrouwde ergernis opkomen toen de deur van de hotelgarage gesloten bleek, alsof Loes, Albert, Molkenboer en de tuinman sissend van verontwaardiging achter de schotten in zijn hoofd te voorschijn kwamen om hem tot de orde te roepen en te veroordelen. Iedereen was erop uit hem dwars te zitten en tegen te werken. Zelfs hier! Zijn hartritme versnelde en hij begon zwaar te ademen. Toen verscheen de stevige gestalte van de hoteleigenares en schoof de garagedeur zacht ratelend open, een zee van ruimte onthullend waar hij de parkeerplaatsen voor het uitkiezen had. Hij schudde zijn hoofd om de gedachten kwijt te raken. Er was niets aan de hand. Het was goed. Ze waren er.

Het raam graag open, maar de gordijnen liever dicht. Hij had geen behoefte aan de hemel met zijn sterren als speldenprikjes, hij had genoeg aan het witte vierkant van deze kamer, van dit bed. Hij had wijn naar boven laten komen en lag languit op de bleke lakens, het glas balancerend op zijn borst. In de badkamer ruiste water, op de stoel lagen Eva's kleren, in zijn hoofd waren de dreigende fantomen tot zwijgen gebracht. Nu kwam de nacht.

Hij schrok wakker in het volstrekte duister. Tastend ontdekte hij de boorden van het bed, het onbekende tapijt onder zijn voeten, een gesloten deur, een deur die open kon. In de badkamer leunde hij tegen de muur, zwetend, ziek van angst. De spiegel weerkaatste zijn gezicht, een doorgroefd gezicht met rode vlekken en donkere wallen onder de ogen. Langzaam verwijdde hij de kier naar de kamer. De lichtbundel viel op het bed waarin een kind lag, een meisje dat haar tengere armen om het kussen had geklemd. Een kind.

Hij zat misschien wel een uur lang op de klep van de wc en

masseerde zijn hoofdhuid. Toen het trillen van zijn kuiten minder werd waste hij zich met koud water. Hij sloop de kamer binnen en kleedde zich aan. Al het losse geld haalde hij uit zijn portefeuille en legde het op het bed. Voorzichtig bewoog hij naar de deur. Op de gang liep hij nog steeds op zijn tenen. De nachtportier bracht hem naar de garage, hij reed de straat uit, de stad uit, het donker in. Hij zette zijn auto stil langs de weg, leunde met hoofd en armen tegen het stuur en begon te huilen.

7

Dat hij aan het eind van de dag niet thuisgekomen was had haar niet bijzonder verontrust. Ze wist wel vaker niet of hij een verplichting had, een afspraak of een vergadering, ze hoorde gewoon niet wat hij zei of ze vergat het onmiddellijk. Eerst had ze gewacht met koken, later had ze er helemaal van afgezien. Bij de televisie dronk ze een glas melk en at ze een zak chips leeg. Het getetter van de nieuwslezer kon ze niet verdragen, ze zette het geluid af en keek naar de zinloos bewegende mond, de betekenisloze huls van de woorden. Het was nog licht buiten, ze kon nog even in de tuin. De nieuwslezer implodeerde tot een lichtende punt in een zwart vlak.

De mol was weer bezig geweest onder het grasveld. Ze begon de opgeworpen zandhopen weg te graven. Lege flessen moest je erin duwen, wist ze, dan moest het gaan waaien en zou er in de mollengangen een huiveringwekkend akkoord gaan klinken dat de mol zou verlammen. Ze trapte de gaten dicht met haar hak en strooide er aarde overheen. Wie het het langste volhield was de winnaar. Wessel had over vergif en over klemmen gesproken, hij wilde wel meteen naar het tuincentrum om de wapens aan te schaffen, maar ze had er niets van willen horen en stond erop de mol een eerlijke strijd te bieden. Ze zou hem willen verlokken zijn domicilie te kiezen tussen de dennenbomen: zoveel wortels om stuk te knagen, zoveel rul zand om op te werpen, zoveel ruimte, zoveel rust. Maar het blinde dier koos voor haar grasveld.

Ineens stond de tuin haar tegen. Ze sloot de keukendeur af en liep het hek door. Koude avondlucht zakte naar de grond, het fietspad lichtte helgrijs op in de schemering. Van een afstand keek ze naar haar huis, waarheen ze net als de mol steeds weer terugkeerde omdat ze niet beter wist. Lopen. De voetzolen afrollen op de grond, vuisten gebald in de zakken van haar jasje. Zieltogende blauwe braam, plukken helmgras, duinzand. Er schaafde iets tegen haar hiel, ze wrong haar vinger tussen blote voet en gymschoen. Zand. Zand dat mij prikt en ergert en pijn doet. Gemeen, geniepig zand.

Onzin. Het zand doet niets, het is alleen maar. Dat ik denk dat het zand mij prikt is een streek van het werkwoord. Het zand laat zich meevoeren in de schoen maar ik ben degene die iets doet: pijn voelen en me kwaad maken. Ik zou het ook kunnen laten, dan is het zand machteloos. Ze beklom de laatste duinenrij en zag het lege strand. Voetsporen, afdrukken van hondenpoten, zandkastelen waren door de zee uitgewist; aan de einder kleurde de lucht bleekgeel door de niet meer zichtbare zon. Langzaam liep ze terug naar huis.

Donkere ramen. Geen zilveren auto op de oprijlaan. Wilde ze dan zo graag dat hij thuiskwam? Zijn afwezigheid was als het zand: net zo ergerniswekkend als zij vond dat het was. Ineens werd ze bevangen door een rusteloze dadendrang en graaide ze met trillende vingers in haar jaszak naar de sleutel die ze stampvoetend in het slot van de keukendeur probeerde te frommelen. Binnen gooide ze haar jas neer en schopte haar schoenen uit. Ze stormde de trap op en begon het bed af te halen. Dekens en dekbedden sloeg ze uit op het balkon, hijgend, met grote gebaren. Uit haar ooghoek zag ze de buurvrouw verwonderd opkijken. Strak keek ze terug, zonder groet, voor ze, bedolven onder de berg beddengoed, weer tussen de glazen deuren de kamer in stapte. Ze propte de vuile was in de wasmand en maakte het bed strak op met geurende lakens.

Aan de keukentafel vond ze geen rust. Ze merkte dat ze intens zat te luisteren naar wat er buiten plaatsvond. Veel was het niet, slechts tegen elkaar schurende boomblaadjes in de lichte avondwind, de buurvrouw die een raam sloot, en de stilte: het ontbreken van motorgeluiden, een dichtslaand portier, het knarsen van een deurklink.

Bruusk stond ze op. De vaatwasser moest uitgeruimd, de borden in de kast gezet, de schalen op hun plaats, het bestek in de laden. Ze smeet de vorken met kracht in hun vakje, greep onbeheerst naar de messen en sneed zich in de vlezige onderkant van haar vingers. Ze zoog het bloed uit de wond, woedend.

De glazen slabak glibberde uit haar handen en spatte op de vloer uiteen. Ze vloekte. Toen rende ze naar de gangkast en trok de stofzuiger de keuken in. Likkend aan haar gewonde hand begon ze de glassplinters op te zuigen, ze ratelden tinkelend in de slang, de motor loeide, de slede knarste over de vloer. Toen ze eindelijk de machine uitzette was het ineens bedreigend stil.

Drank, ze kon gaan drinken. Dat was ook goed tegen de pijn. Eerst pleisters om haar vingers plakken. Bloedvlekken op de schaar waarmee ze ze op maat knipte, op haar lippen bijtend om niet te schreeuwen. Onhandig met de linkerhand de kleverige uiteinden op hun plaats manoeuvreren, haastig, met te veel kracht. Overdreven beheerst pakte ze de jeneverfles uit de ijskast en bracht hem naar de kamer. Ze liep een keer terug om een glas te halen. Nu op de bank gaan zitten. Voorzichtig inschenken, niet morsen. Met de verkeerde hand het glas naar haar mond brengen. Het scherpe, stekende maar verdovende vocht tegen haar lippen voelen. Stilte.

Ze zou het ziekenhuis kunnen bellen. Er moest een nachtportier zijn die de telefoon aannam. Wat moest ze zeggen? Waar is mijn man, hij is niet thuisgekomen. Ondenkbaar, dat deed ze niet. Maar waarom niet? Misschien zei de portier wel dat er een vergadering met de Raad van Toezicht was geweest en dat ze nu uit eten waren, dat wil weleens laat worden mevrouw, wacht u maar rustig af, de dokter komt zo. Nee, het voelde of ze alle macht uit handen gaf als ze ging bellen. Niet doen.

En de politie? Is er een ongeluk gebeurd met een zilveren Volvo met mijn man erin? Ach mevrouwtje, hij is pas één avond weg? Dat gaat meestal om ongelukken van een andere soort, belt u morgen maar terug als u dan nog niets gehoord hebt. Razend van machteloze woede, van vernedering, zou ze de hoorn op het toestel smijten. Als er iets was gebeurd, als de Volvo gekromd om een enorme beuk tot stilstand was gekomen, als Nico platgedrukt, met gebroken nek tegen zijn airbag hing zouden daar toch mensen op af komen, zelfs midden in de nacht. Dan zou de politie met gehandschoende vingers in Nico's zakken op zoek gaan naar rijbewijs of creditcard, dan zou ze gebeld worden of opgehaald door een ernstige inspecteur die haar zou uitnodigen tot identificatie van het lijk.

Ze schudde haar hoofd en stond op. Genoeg gedronken. Ze wilde naar bed, de nacht moest om, de vreemde gedachten moesten weg en als niemand haar daarmee kon helpen moest ze het zelf doen. Waarschijnlijk was hij kwaad over het geld, ondanks zijn hilarische reactie gisteravond, verbolgen over haar naïviteit, en wilde hij haar straffen door haar ongerust te maken. Ze zou zich flink houden. Er was niets aan de hand. Ze kon Wessel bellen, ze kon gewoon informeren wat er precies met de bedragen gebeurd was die ze hem had toegestopt. Ze had moeten aandringen om zijn telefoonnummer te krijgen, hij was er nooit, zei hij, er woonden zoveel mensen, een rommelig huis, studenten en zo, boodschappen werden niet doorgegeven, het had geen zin. Hij kwam toch iedere week, ze hoefde hem helemaal niet op te bellen. Met tegenzin had hij een nummer op een papiertje geschreven. Hij schaamt zich, had ze gedacht, hij wil niet dat zijn vrienden hem als tuinman zien, hij geneert zich als hij door een oud mens aan de telefoon gesommeerd wordt, een kind is hij nog.

Het lag in de la waarin ze haar geld bewaarde. Resoluut toetste ze het nummer in. Hoewel het tegen twaalven was aarzelde ze niet.

– Hoi, zei een meisjesstem met een neuzige klank, momentje hoor, even de asbak...

– Ik zoek Wessel ten Cate.

– O, zei het meisje. Het werd stil aan de andere kant. Toen hoorde ze krakende klappen, alsof de hoorn aan het koord hing te bengelen en steeds tegen een muur sloeg. Daartussendoor was er vaag een gesprek waar te nemen, het meisje riep korte zinnetjes met vragende toon.

– Bent u daar nog? Er is hier niemand die zo heet.

– Maar hij woont daar! Weet je het zeker?

– Ja hoor, zei het meisje met haar geknepen geluid. Ik heb het gevraagd. U bent verkeerd.

Ze hing op. Verkeerd. Misschien had hij per ongeluk een verkeerd nummer opgeschreven. Of expres. Misschien had hij vroeger daar gewoond, was hij verhuisd, woonde hij ergens anders, bij een vriendin, bij Maj misschien. Misschien waren ze samen haar vijfentwintigduizend gulden aan het verbrassen. In Parijs.

Even voelde ze een rare opluchting, alsof ze beide voortvluchtigen getraceerd had en veilig ergens had ondergebracht. Tevredenheid. Goed gedaan. Ze had helemaal niets gedaan, behalve enorme stommiteiten uitgehaald. Een kapitaal meegegeven aan een wildvreemde jongen. Een dochter laten verdwijnen. Een man aanleiding gegeven om haar te verachten. De jeneverfles hoorde in de ijskast. De deuren moesten op slot maar niet vergrendeld, hij kon nog komen. Het licht boven het fornuis moest aanblijven. En nu de trap op, met de hand op de leuning.

Ze aarzelde of ze nog onder de douche zou gaan, ze verlangde naar de warmte maar zag op tegen het gekletter en geraas waarin alle andere geluiden zouden verdrinken. Ze waste zich bij de wasbak, ze borstelde haar haren en poetste haar tanden. Ze keek zichzelf niet aan in de spiegel en kroop in de donkere slaapkamer tussen de verse lakens. Ze ging liggen aan Nico's kant, waar de telefoon stond.

Ze werd wakker en wist niet waar ze was. Ze stak haar hand uit naar Nico maar voelde leegte. Het bed hield op. Er was geen Nico. Ze was alleen. Ze ging rechtop zitten en trok haar knieën naar zich toe. Met het hoofd op de armen dacht ze na. De mobiel, hij had zijn mobiele telefoon bij zich. Idioot dat ze daar niet meteen aan gedacht had. Naakt liep ze naar beneden om haar agenda uit haar tas te halen; boven ging ze weer in bed zitten en zocht het nummer op. Nauwkeurig toetste ze de lange rij cijfers in. Het belsignaal werd na drie keer afgebroken. Ze hield haar adem in.

– Deze mobiele telefoon is tijdelijk buiten gebruik. Probeert u het later nog eens, zei een metalige stem.

Voorzichtig legde ze de hoorn terug. Ze knipte de lamp uit en trok het laken over haar gezicht. Het kon niet anders of het zou snel dag worden.

Het leek een gewone vrijdagochtend toen ze in de keuken zat. Ze hoefde niet naar school, de klok was van geen belang. Er hing een zwaar wolkendek maar het regende niet. Het grasveld lag er net zo bij als gisteren, de mol had zich rustig gehouden vannacht. Ze overwoog om in de tuin te gaan werken maar had daar eigenlijk geen zin in. Het was beter om weg te gaan en weer opnieuw thuis te komen dan om binnen de omheining van het huis te blijven wachten. Ze zou gaan fietsen, besloot ze. Maar eerst iets eten, en koffie drinken, en overal de gordijnen opendoen.

De telefoon ging toen ze in Nico's studeerkamer de luxaflex

omhoog trok. Ze ging op zijn bureaustoel zitten en nam op.

– Loes, met Albert. Neem me niet kwalijk dat ik je zo vroeg al stoor, maar ik zou Nico graag even spreken. Hij was nog niet in het ziekenhuis, zeiden ze daar, dus ik dacht: ik probeer het thuis. Of is hij onderweg?

Onderweg, dacht ze, onderweg. Ja, dat zal wel. Ik moet iets zeggen, mijn keel zit dicht.

– Hallo! Loes? Ben je daar nog?

Ze hoestte, schraapte haar keel en slikte. De woorden bleven weg. Vreemd, voor de ander was haar zwijgen een uitnodiging om geluid te maken. Wat had hij een keurige stem, de irritatie was nauwelijks merkbaar.

– Zijn jullie erg geschrokken van de gebeurtenissen van gisteren? Je begrijpt dat ik Nico moet spreken, ik ben bang dat het een min of meer officieel gesprek is, ik bel in functie. Kun je hem even roepen?

Ze ging staan, het sloeg nergens op maar ze stond. Wilde ze haar hoofd om de deur steken en Nico's naam de gang in brullen?

– Albert, hij is er niet.

Tot haar verbazing klonk haar stem koel en zakelijk.

– Hij is de hele nacht niet thuis geweest. Ik weet niet waar hij is. Zijn telefoon doet het niet. Ik weet trouwens niet wat er gisteren gebeurd is. Ik weet niet waarvan ik zou moeten schrikken.

– Ik kom naar je toe, zei Albert. Blijf zitten waar je zit, over een halfuurtje ben ik bij je.

Ze hoorde de klik van het afbreken van het gesprek en bleef met de hoorn in haar hand staan. Op het bureau lagen ordeloze stapels tijdschriften, aantekeningen, verslagen. Een zee van papier, en zij stond op het strand. Als ze er niet snel vandoor ging zou ze wegzakken in het drijfzand.

Ze ontving hem in de huiskamer, ze gingen zitten op de bank, schuin naar elkaar toe gedraaid. Ze zweeg.

Albert deed zijn bril af en poetste de glazen met zijn zakdoek. Ze wachtte. Hij zette de bril weer op, keek naar buiten en hoestte even achter zijn hand. Toen keek hij haar aan.

– Je weet niet half hoe vervelend ik dit vind, Loes. Ik had hier graag op een andere manier gezeten. Maar het is niet anders. Ik zal duidelijk zijn, dat is het beste.

Ze sloeg haar benen over elkaar en wendde haar gezicht naar hem toe. Ondanks de omineuze sfeer van het gesprek vond ze het prettig om niet alleen te zijn, prettig om te luisteren en naar de uitdrukking op zijn gezicht te kijken.

–Je weet dat ik je laatst wilde spreken over je man, omdat ik me zorgen maakte. Ik kon toen niet expliciet zijn, maar nu is er een noodsituatie ontstaan waardoor ik me van mijn zwijgplicht ontheven acht. Onze prioriteit is dat we Nico terugvinden.

Ze knikte. Zijn plechtige taal hielp haar de vertrouwde observatiehouding in te nemen. Ze zou registreren welke dingen hij noemde en hoe die zich tot elkaar verhielden. De substantieven, de werkwoorden. De kleur van de adjectieven. Ze rechtte haar rug.

– Ik moet je eerst een aantal zaken vertellen, hoe onaangenaam dat ook is. Het is duidelijk dat Nico onder grote spanning staat, hij is zichzelf niet meer. Er was een vervelend conflict met de ondernemingsraad, over zijn beleid, en vooral over het tempo waarin hij te werk ging. Dat ligt in de rede, dat is op zichzelf niet ernstig, maar gisteren is het tot een escalatie gekomen. Er ontstond een vechtpartij; Nico heeft Jaap Molkenboer neergeslagen. Molkenboer is opgenomen met een gebroken neus en diverse kneuzingen. Hij heeft aangifte gedaan. De politie zoekt Nico in verband met mishandeling. Het spijt me, Loes.

Hij raakte even haar pols aan. Ze keek hoe zijn hand op haar arm lag. Witte vingers op gebruinde huid. Molkenboer mocht ze niet, ze vond hem schijnheilig en achterbaks. Het verraste haar geenszins dat Nico hem in elkaar had geramd. Keurde ze het af? Dat was niet aan de orde, ze moest luisteren.

– Daar komt het probleem van de brand nog bij. De veiligheidsmaatregelen waren volstrekt onvoldoende. Het alarm functioneerde niet en er was geen sprinklersysteem aangelegd omdat het gebouw op de nominatie stond om afgebroken te worden. Bovendien bleek het personeel vertrekken af te sluiten waar patiënten sliepen, in weerwil van de regels. Je weet dat er een patiënt als gevolg daarvan is omgekomen. Nico heeft natuurlijk niet de hand gehad in al deze zaken, maar als directeur is hij wel formeel verantwoordelijk. De brandweer heeft het terrein voorlopig afgesloten voor onderzoek en wil Nico horen. Nico heeft zich daaraan onttrokken, en dat is schadelijk voor de organisatie. Ik heb gisteren spoedoverleg gevoerd met de collega-raadsleden en we hebben helaas het besluit moeten nemen om Nico met onmiddellijke ingang te schorsen.

Ze keek naar de grond. Hij had kleine voeten, dat was haar nooit zo opgevallen. Keurig gepoetste schoenen, dat wel. Maar kinderlijk klein. Het moest tot haar doordringen, dat wat hij zei, ze moest zich niet laten afleiden. Geschorst. Kleine voeten, grote woorden. Teleurstelling voelde ze, en ergernis. Wat kletste hij over regels, veiligheidseisen, verantwoordelijkheid? Alsof Nico er iets aan kon doen dat de paviljoenen in elkaar zakten, dat de voorgeschreven maatregelen niet met de werkelijkheid waren te rijmen, dat de ondernemingsraad bevolkt was met rancuneuze dwarsliggers. Hij had zich ingezet, hij had zich tot het uiterste ingespannen. Er moest er altijd een zijn met een visie, iemand die vooropliep en de richting aangaf. Dat was Nico. De anderen hingen aan de teugels en hielden hem tegen. Ze glimlachte onwillekeurig toen ze zich Nico voor de geest haalde, met zijn rare fietspetje, trekkend aan een kar vol loodzware therapeuten.

– Ik vrees dat er niets te lachen valt, zei Albert.

Ze verstarde. Hij was een molensteen om Nico's nek. Hij was partijdig. Hij ging af op de verhalen van anderen en nam die klakkeloos voor waar aan. Het bloed steeg naar haar wangen en ze haalde diep adem, opende haar mond. Nee, rustig nu, geen ophef, geen opzet.

– Is het niet vreemd dat jullie tot schorsing overgaan vóór je met Nico hebt gesproken?

Ik ben toch niet gek, dacht ze. Ik heb zoveel ruzies en conflicten meegemaakt op school; ik herken een paniekoplossing als ik er een zie. Wat een laf spel, een zondebok aanwijzen voor je degelijk onderzoek hebt gedaan, een protagonist offeren om het koor tot rust te brengen.

– Als je vindt dat hij overspannen is ligt het toch meer voor de hand dat hij met ziekteverlof gaat?

Onuitstaanbaar dat ze haar commentaar in de vragende vorm goot. Ze zou moeten stellen, poneren, bevelen. Met uitroeptekens. Trek die schorsing in! Luister naar mijn man! Kijk naar je eigen verantwoordelijkheid!

Albert was stil. Hij boog zich voorover en liet zijn hoofd op zijn handen rusten. Ze kon zijn gezicht niet zien. Ineens verliet de strijdlust haar en kwamen twijfel en ongerustheid krachtig opzetten.

– Er is nog iets, zei Albert. Ik vind dit verschrikkelijk moeilijk maar ik moet het met je bespreken. Er is nog iets.

– Ja?

– Ik belde vanmorgen met Alice, de directiesecretaresse –

De opruimster, dacht ze, van de firma Dwang en Co. Hij gaat me vertellen dat ze hem heeft aangeklaagd wegens intimidatie. Ze snoof.

– Ze zei dat Nico gisteren, na het ongelukkige incident met Molkenboer, is weggereden. Hij was niet alleen.

Ze keek hem vragend aan, met opgeheven hoofd.

– Hij had een meisje bij zich, in de auto. Ze reden samen weg.

Maj, dacht ze. Hij heeft zich verzoend met Maj. Hij heeft haar gezocht, gevonden, meegenomen. Straks komen ze samen thuis en is alles weer goed. Ze moest de neiging bedwingen om op te springen en door de kamer te gaan lopen. Laat hem nu ophoepelen, hij heeft genoeg gezegd. Maj!

Maar Albert praatte door.

– Een werkneemster, zei hij. Een jonge vrouw die op de afdeling waar de brand heerste dienstdeed. Een veelbelovende, begaafde stagiaire. Er gaan geruchten, helaas, dat Nico met haar de laatste tijd – nou ja, uit betrouwbare bron heb ik moeten vernemen dat ze – een verhouding, dat ze een verhouding hadden. Het spijt me meer dan ik kan zeggen, voor jou maar ook voor Nico, ik had dat nooit van hem verwacht. Vanzelfsprekend wil ik eerst zíjn verhaal horen. Maar ik vrees dat we er niet omheen kunnen. Zij is vanmorgen ook niet op het werk verschenen, dus het ziet ernaar uit dat ze samen weg zijn.

Albert zweeg ongemakkelijk. Tijdens zijn verhaal had hij voor zich uit gestaard, nu draaide hij zich om en keek haar aan.

– Wist je het? Of is het een verrassing voor je? Verschrikkelijk dat we hier nu over moeten praten. Ik ben er eerlijk gezegd nogal door geschokt. Het kan natuurlijk niet, een seksuele relatie van een directeur met een werknemer, het druist tegen elke ethiek in. Er staat ontslag op, al moeten we niet op de zaken vooruitlopen. Verwachtte je zoiets, begrijp je het?

De gymschoenen, de fietsdwang, de energie, het vermageren, het veel te jeugdige petje. De lange werkdagen, de desinteresse in wat zíj eigenlijk uitvoerde. Ja, natuurlijk had ze het moeten weten. Het was haar eigen schuld, ze had geen belangstelling meer voor hem, wilde nooit met hem weg en was altijd somber.

Niet leuk genoeg. Een stagiaire. Een veelbelovende stagiaire. Ze twijfelde er geen moment aan dat het waar was. Het klopte, het verklaarde alles, als ze had opgelet had ze het geweten.

Ze leunde achterover met haar hoofd tegen de bank. Haar handen lagen slap langs haar dijen. Ze begon heel rustig te huilen, met gesloten ogen.

Er verstreek tijd. Albert tastte in zijn broekzak, kuchte en reikte haar een opgevouwen zakdoek aan die ze tegen haar ogen drukte. Hij was nog warm. Het huilen werd heviger, ze snikte het uit naast de zwijgende man die haar zo stilletjes zijn lichaamswarmte had meegedeeld. De temperatuur van zijn bovenbenen vermocht wat zijn woorden niet konden.

Ze snoot haar neus en begon te praten, zonder bedoeling en zonder plan. In aaneengesloten, moeiteloos de kamer in rollende zinnen beschreef ze hoe het afgelopen halfjaar was geweest, hoe Nico zijn onmacht had bestreden door zich in zijn werk te begraven, hoe zij zich had verdoofd met haar onhaalbare tuinaanleg. En wat er daarvóór was gebeurd: de nachtelijke huiswerksessies, de verwachtingen, de aanmaningen die ontaardden in scheldpartijen, het naderende eindexamen dat bij Nico extreem ongeduld teweegbracht, bij haar gelatenheid en doodsangst bij het kind. De kleine sporttas die verdwenen was toen ze op een avond terugkwamen van de bioscoop. De lege kamer met het smalle bed, netjes opgemaakt. Het verlaten bureautje met de boeken en schriften in keurige stapeltjes.

– Het was altijd al mis, natuurlijk. Ze was ongrijpbaar. Wil je op hockey, vroeg ik, op volleybal, op jazzballet? Dan knikte ze en verdween met de hockeystick aan haar fiets geklemd naar het veld. Als we vroegen of ze van hockey af wilde, knikte ze ook, en bleef thuis. Ze deed wat wij van haar verwachtten. Tot het niet meer ging.

Waarom we geen hulp gevraagd hebben? Omdat er niets aan de hand was, volgens Nico. Ik heb er ooit iets over gezegd tegen Molkenboer, tijdens een van die managementdiners. Had ik nooit moeten doen; ik had te veel gedronken. Hij lachte me uit, hij zag er niets in en raadde me aan om zelf in therapie te gaan. Dat heb ik ook niet aangedurfd.

– Ik begrijp het niet, zei Albert. Nico is toch zelf psychiater, hij kon toch zien dat er iets moest gebeuren?

– Als er iets zou moeten gebeuren had hij gefaald, zei ze honend. Dus zag hij niets. Hij kon haar met zijn methodes niet vormen, niet veranderen. Er staat mislukking op haar voorhoofd geschreven. Haar hele bestaan is een aanklacht. Hij verdraagt niet dat zij er is.

Ze duwde de zakdoek tegen haar mond, alsof ze de felheid van haar stem wilde smoren. Ze staarde naar buiten, waar het wolkendek begon open te breken en de boomkruinen bogen onder de opstekende wind. Niets te verliezen, dacht ze. Niets. Ik kan alles zeggen.

– Ze is een adoptiekind. We konden zelf geen kinderen krijgen.

Ze giechelde en trok koket haar rok over haar knieën.

– Wil je koffie, Albert? Ik ben helemaal vergeten je iets aan te bieden.

Albert schudde nee.

– Hoe kwam dat? vroeg hij ernstig.

Ze haalde haar schouders op.

– Onderzoek, vreselijk. Ik dacht dat het wel aan mij zou liggen maar dat bleek slechts gedeeltelijk waar. Een verkleefde eileider vanwege een verwaarloosde infectie. De andere kant deed het nog. Ik deug voor de helft.

Een gemaakt, vreugdeloos lachje ontsnapte haar.

– Nico liet zich in dezelfde tijd onderzoeken. Wij zijn altijd erg voor gelijkheid geweest. En wat vond de uroloog: onvruchtbaar zaad. Je gelóóft het niet. Wij geloofden het niet. Maar het was wel zo. Dood sperma. Zonder aanwijsbare oorzaak. Gewoon dood in plaats van gewoon levend. We hoefden geen ruzie te maken over wiens schuld het was.

Het werd crisis tussen ons. Hij kon zich er niet bij neerleggen. Mijn gynaecoloog stelde donorinseminatie voor, maar ik wist wel zeker dat Nico daar niet tegen zou kunnen. Dat er in ons huis een kindje rond zou kruipen dat ik van een ander gekregen had, en dat Nico daar tevreden mee zou zijn? Ik kon het me niet voorstellen. We moesten gelijk zijn, even onmachtig, even onthand. Het werd dus adoptie, het werd Maj.

Albert stond op en liep naar het raam met de handen ineengevouwen op zijn rug.

– Hier heb ik nooit iets van geweten, zei hij zacht.

Haar stem klonk net zo gedempt.

– Het was geen geheim. Iedereen kon het weten, niemand

wist het. Als je het wist, wist je het nog niet. We hebben er natuurlijk met Maj over gepraat, zoals het hoort. Ze leek het voor kennisgeving aan te nemen omdat wij niet meer deden dan dat: kennisgeven. Vooral niet laten merken dat je er iets bij voelt. Wij voelden ook niets. Een perfect, ijzig gezinnetje. Je moest maar gaan, Albert. Ga maar weg, nu.

Klunzig nam hij afscheid, eerst in de kamer, gehaast, zich excuserend dat hij nog niet weg was, en toen nog een keer in de gang, waar ze de deur al opengezet had en met over elkaar geslagen armen stond te wachten tot hij het bordes op stuntelde.

– Ik neem contact met je op zodra ik iets weet, zei hij.

Tien centimeter van zijn stramme rug knalde de deur in het slot.

De zakdoek had ze nog steeds in haar hand, verknoedeld tot een bal. Ze zag hem de oprijlaan af sjokken en dacht: het feest is over. De herinnering aan een verjaardag van Maj overmande haar – hoe oud werd ze, vijf, zes? Ze hadden slingers opgehangen, de stoel versierd, taart gebakken, kaarsjes aangestoken. Ze had feestelijk eten gekookt en ze hadden gezongen. Toen ze haar naar bed brachten had het kind gevraagd: wanneer begint het feest? En ineens had ze geweten dat zij, Nico en Maj ongeoefende schaatsers waren op glad ijs, bezig met balanceren, bang om te vallen, beducht om zich aan elkaar vast te klampen. Er was geen feest, ze deden alleen maar alsof.

Ze stond op het punt om de deur uit te gaan toen de telefoon ging.

– Loes van der Doelen.

Ze hoorde een stilte, doorspekt met klein gekraak, een uitspansel met hier en daar geluidjes.

– Hallo? riep ze hard en ongeduldig met haar wandelschoenen op de vloer stampend.

– Loes? Met mij.

– O.

– Hoor je me? Het kraakt zo!

– Ik hoor je.

Maar ga ik ook luisteren, dacht ze. Er deed zich een keuze aan haar voor: of ze zou haar knieën laten knikken, een stoel onder zich trekken om trillend op te gaan zitten, of ze zou haar benen wat uit elkaar zetten, haar rug rechten en de dichtgeknoopte jas als een stevig harnas om zich heen voelen. Het was of ze vol spanning naar zichzelf keek, benieuwd hoe die vrouw in wandelkleding zich zou gaan gedragen.

– Het is niet goed. Ik ben in België. Vannacht ben ik gaan rijden, ik weet niet waar ik zit. Ik heb er zo'n spijt van, ik wilde het niet maar het gebeurde toch.

Ze zweeg, rechtop, de hand waarin ze de hoorn hield ondersteunend met de andere arm, voeten uiteengeplant op de vloer.

– Ik ben met een vrouw weggegaan. Zomaar, gisteren, omdat het me te veel werd. Het spijt me. Het betekent niets, dat weet je toch?

– De politie zoekt je, zei ze ineens. En de brandweer. En Albert Tordoir. Je bent geschorst.

– Wat zeg je? Ik versta je niet!

– De politie wil je verhoren. Je bent geschorst. Op non-actief gesteld.

Ze hoorde hem schreeuwen maar verstond niet wat hij zei. De lijn ruiste als een bruisende beek. In de lege ruimtes tussen het geknetter doemden flarden van zinnen op.

– ...niet het ergste... ze deed... Maj... een dochter... vergeven... de brug bij Willebroek... spijt...

Ze verbrak de verbinding en stond met de handen in haar zij naar de telefoon te kijken.

Meteen toen hij weer overging pakte ze hem op.

– We hebben niet om haar vertrek kunnen rouwen omdat we nooit verdriet konden hebben om haar komst. Ik heb het helemaal verkeerd gedaan. Het was niet eerlijk tegenover haar, tegenover jou. Ik wil opnieuw beginnen. Die baan kan me niets schelen, het gaat me om jou. Om ons.

Ze wist niet of ze zijn woorden goed verstond, want het geluid werd allengs zwakker en het ruisen begon weer.

– Ik wil je terug, Loes. Ik wil dat we echt praten, zoals vroeger. Ik geloof dat m'n batterij leeg raakt. Loes? Loes?

Het werd stil, een dode stilte, zonder storingen of achtergrondgeluiden. Er was geen verbinding meer.

Ze deed haar jas uit en zette haar schoenen in de gang. Met loden benen sleepte ze zich naar boven, waar ze zonder aarzelen de deur naar Majs kamer opentrok. De middagzon viel op het bed waarover de bleke sprei glad was getrokken. Ze sloot de deur, zette het raam op een kier en liet zich op het bed vallen. Ze viste het kussen onder de sprei vandaan en vouwde het dubbel onder haar hoofd. Nadenken. Onderzoeken wat ze er eigenlijk van vond. Haar standpunt bepalen. Ze viel in slaap.

Vaag, in de verte, hoorde ze de telefoon rinkelen. Het kwam niet in haar op om op te staan. Het geluid stopte en begon vrijwel meteen weer. Het ging haar niet aan. Zolang ze in deze kamer was had ze met de rest van het huis niets te maken. Hij had zeker z'n batterij opgeladen en wilde doorgaan met het plannenbombardement. Alles moet zeker weer anders. Ze deed haar ogen dicht en probeerde het geluid te negeren. Ze stelde zich Nico voor, verdwaald op het Vlaamse platteland, tussen vervallen autowerkplaatsen en frietkotten. Ze moest woedend zijn, omdat hij haar bedrogen had. Ze moest zich weggedaan en verstoten voelen, opzij gezet voor een jongere vrouw. Maar ze voelde niets dan een intense vermoeidheid. Blij zou ze moeten zijn dat hij eindelijk een opening bood om te praten, dat hij verdriet kon hebben om zijn dochter en dat tegen haar wilde zeggen. Maar ze voelde een vreemde onverschilligheid. Dat zij zelf een kapitaal aan Wessel had gegeven was het enige waar ze zich echt kwaad over kon maken. Ondanks het fanatieke gerinkel moest ze weer in slaap zijn gevallen, want toen ze wakker werd was het al bijna donker. De wind was gaan liggen, de wolken hadden zich aaneengesloten en er viel een zachte regen. De telefoon was stil.

Ze lag te kijken naar de witte rechthoek van het plafond, smetteloos, volmaakt. Ik ga hier weg, dacht ze, weg uit dit huis, uit deze tuin, van deze verschrikkelijke duinen, van die beroerde zee. Opnieuw beginnen, had hij gezegd. Er was een lege, lichtgrijze rust in haar hoofd waarin kleine vraagzinnetjes rondtolden. Alleen? Andere baan? Met Nico? Antwoorden kwamen niet in haar op.

Straks kon hij voor de deur staan, het was maar een paar uur rijden. Dan moest ze het weten. Hij zou aanbellen omdat het niet duidelijk was of hij naar binnen mocht. Zij moest het zeggen. Haar woorden wogen het zwaarst, zij was in de positie om de weegschaal door te laten slaan naar haar kant. Later, jaren later misschien, zou de rekening komen en zou de balans kantelen. Zo ging dat, tussen man en vrouw.

De telefoon begon weer. Langzaam kwam ze overeind en ging

op de rand van het bed zitten. Als het eens zonder weegschaal kon, als hij zo meteen binnen zou komen en zeggen: we houden ermee op, we vergelijken niet meer, we wegen niet meer af, we maken geen rekeningen meer op. Als de debet- en creditstaten het vuur in konden werd het mogelijk weer samen te zijn. Misschien. Ze moesten ophouden de fietstochten tegen de tuinierdrift weg te strepen, de stagiaire af te wegen tegen de tuinman. Als ze elkaar niet meer hoefden te vervormen en ontwerpen konden ze ook wat er gebeurde zich laten voltrekken, zonder verduistering, zonder verdraaiing.

Ze stond op en liep de kamer uit. De deur liet ze openstaan.

Ze bewoog zich of ze kilo's lichter was geworden, snel en soepel rende ze rond op de bovenverdieping. Als de telefoon nu zou gaan zou ze hem opnemen, maar het bleef stil in huis. De derde kamer had ze zich als vanzelfsprekend toegeëigend en energiek begon ze Majs gehate schoolboeken in kartonnen dozen te pakken, het bedje af te halen, het speelgoed weg te bergen. Als haar dochter ooit terugkwam moest ze kunnen zijn zoals ze was. Met ouders die niet meer waren dan zichzelf. De hockeykleren en de balletspullen propte ze in een vuilniszak. Toen ging de bel.

Met haar hielen gaf ze een extra roffeltje op de brede traptreden toen ze naar beneden stormde. Nu!

Op de stoep stond een politieagent die naar haar blote voeten keek. Langzaam hief hij zijn hoofd op. Hij was een neger van middelbare leeftijd en hij droeg een bril met een gouden montuur. Toen hij de pet van zijn hoofd tilde om hem onder zijn arm te steken zag ze een krans van grijswit kroeshaar.

– Mevrouw Van der Doelen?

Ze bleef hem verbijsterd aankijken en reageerde niet.

– Mijn naam is Hendrik Lantzaad. Brigadier Lantzaad. Mag ik even binnenkomen? Ik heb een boodschap voor u.

Nico. Het verhoor. Ze liet de deurknop los en deed een stap opzij.

– Mijn man is er nog niet.

– Ik weet het, mevrouw.

Hij liep langs haar heen de gang in.

– Kunnen we ergens gaan zitten? zei hij over zijn schouder. Doet u de deur maar dicht, hoor.

Ze ging hem voor naar de keuken en wees hem Nico's stoel. Hij legde de pet op tafel en wachtte tot ze was gaan zitten. Toen trok hij de stoel onder zich en schoof dicht tegen de tafelrand. Hij spreidde zijn onderarmen voor zich en boog licht naar haar toe.

– Ik heb slecht nieuws voor u. Uw man heeft een ongeluk met de auto gehad.

Hij wachtte even voor hij verder ging.

– Uw man is helaas verongelukt.

Pas nu zag ze dat de man een legitimatiebewijs in zijn hand had. Door het plastic hoesje zag ze in verkleining het donkere hoofd met de krullenkrans.

– Mevrouw?

Ze keek hem aan.

– Ik wil u eerst mijn oprechte deelneming betuigen.

Het geluid van zijn zangerige stem kwam van heel ver. Toch was hij zo dichtbij dat ze moeiteloos zijn grijsbruine handen zou kunnen aanraken.

– U weet dat uw man in België was?

Ze knikte.

– Hij is van de weg af geraakt, tegen een boom en toen te water. In het kanaal van Willebroek. We wachten op het rapport van de Belgische collega's.

Aan het begin van de middag is het gebeurd. Over de toedracht is nog niet veel bekend. Er komt natuurlijk een onderzoek. Ik kan u wel vertellen dat er op dat moment geen tegenliggers waren en uw man reed vermoedelijk ook niet te hard. Er zijn nog veel vraagstukken.

Weer zweeg hij. Geruime tijd bleef het stil.

Toen stond hij op en pakte een glas van het aanrecht dat hij zorgvuldig omspoelde en vol liet lopen met koud water. Hij hield het haar voor; ze moest de neiging bedwingen om haar mond erheen te bewegen en zich als een kind te laten drenken. Ze tilde haar arm op en sloot haar hand om het glas. Ze dronk.

– Hebt u iemand die ik voor u kan bellen? Wilt u ergens naartoe? Familie? Een vriendin? Kinderen?

Ze schudde nee.

– Ik ga u op de hoogte houden van de gang van zaken. Het zal een dag of twee duren voor ik u uitnodig voor de formaliteiten. De identificatie. De overdracht van de bezittingen. Maar morgen wil ik graag verder met u praten. Is dat goed?

Weer knikte ze.

– Het is niet goed om alleen te zijn na zo'n slechte tijding, denk ik. Maar mensen zijn verschillend, ze zijn allemaal anders. Als u dat het liefste hebt laat ik u nu alleen. Weet u het zeker? Ik blijf graag nog even bij u. Ik zal mijn telefoonnummer voor u opschrijven, dan kunt u mij bereiken wanneer u maar wilt.

Hij pakte een pen uit zijn borstzak en schreef een rij cijfers achter op een kaartje, dat hij vervolgens voor haar neerlegde. Toen gaf hij haar een hand en trok zachtjes de deur achter zich dicht.

*

De begraafplaats lag midden in een golvend duinlandschap. Ze stond erop dat de auto niet verder ging dan de poort en dat ze zelf, stap voor stap, de lange kronkelende weg zou afleggen naar de aula op de duintop. Liever had ze over een grasdijk gelopen, op kaplaarzen, tegen de wind in die tranen naar haar ooghoeken zou blazen. Maar onder de dennenbomen was het windstil en ze droeg zwarte pumps met hakken die steeds iets te ver in het zand zakten.

Ze liep tussen Albert en Ineke in, er was maar net plaats voor drie mensen op het smalle pad. Ineke had een arm door de hare gestoken. Haar twee begeleiders praatten zacht tegen elkaar en hielden haar met hun woorden omsloten.

– Kijk toch hoe druk het is, zei Albert. Daar heb je Hein Bruggink. En Molkenboer, net op tijd uit het ziekenhuis gekomen.

– Heb je een zakdoek?, vroeg Ineke. Wij blijven naast je zitten. Je hoeft niets te doen. Albert zorgt overal voor, niet, Albert?

Een lange optocht van zwartgeklede mensen kroop op het witte gebouw toe. Toen ze binnenkwam schoten er twee kaarsrechte jongemannen op haar af die haar en haar gezelschap naar de zaal brachten. De stoelen waren al voor driekwart bezet en aan de zijkanten stonden de mensen rijen dik. Er was een podium van marmer. Er stond een doodskist op.

Langzaam liepen ze naar voren, tussen mensen die respectvol uiteenweken en zich naar haar toe draaiden. Jaap Molkenboer had een blauw oog. Zijn neus was verpakt in een opvallende gipsconstructie die aan zijn voorhoofd was bevestigd. Hein en Aleid Bruggink sloten zich bij hen aan en liepen mee tot de voorste rij. Allen bleven staan tot iedereen binnen was en de deuren werden gesloten.

Toespraken. Over werklust, improvisatievermogen, toewijding. Alice, de secretaresse, droeg een gedicht voor. Haar handen beefden.

Hein sprak beheerst en afgemeten over zijn opvolger, zijn gezicht strak van verbeten verdriet. Iemand van de ondernemingsraad voerde het woord namens Molkenboer, die nog geen stem had. Een meisje van het patiëntenplatform vertelde fluisterend een anekdote.

Ze zijn aangedaan, dacht ze. Ze zijn geschrokken dat de dood zo dichtbij is. Dat niemand ontsnapt. Ineens zijn ze hun woede en wrevel vergeten en staan ze naast Nico, alsof er geen gevecht geweest is. De behoefte aan verzoening hangt als een verstikkende wolk boven hun hoofden en verdoezelt alle ergernis en verwijt. Hun vermogen tot vergeving maakt hen machtig. Ik vergeef niet. Ik hoop dat dat meisje er niet is, dat ik haar niet hoef te zien. Ik haat hem en ik houd van hem, maar zij kunnen dat niet. Ze kunnen niet machteloos zijn, ze moeten zelfs de dood in hun verklaringen en strategieën inpassen. Hun behoefte om een verhaal te maken is zo groot dat ze niet bij de inhoud van de losse woorden kunnen stilstaan. Er moet samenhang zijn. Ik ben scherven. Ik ben splinters.

Een man met kaalgeschoren hoofd en dikke armen beklom het podium.

– Erik Gerritsma, fluisterde Ineke, verpleger, van het afgebrande paviljoen.

Erik wenkte naar de zijkanten van de zaal vanwaaruit tientallen mensen naar voren begonnen te lopen. Ze schaarden zich in rijen op de verhoging, rond de kist, en keken ernstig voor zich uit. Een man met krulhaar, gekleed in een zwarte coltrui, ging voor het gezelschap staan en neuriede een toon.

Toen hief hij zijn handen en er klonk een lied. Twee melodieën kringelden om elkaar, weken uiteen, kwamen weer samen, hielden elkaar in evenwicht.

...Vreugd' en pijn..., verstond ze. ...Altoos de mijne zijn, adieu, ik zeg adieu... wij moeten scheiden gaan...

De zangers waren morsig gekleed. Sommigen hielden elkaars

handen vast, sommigen huilden onbeschaamd, anderen keken verlegen en durfden nauwelijks hun lippen te bewegen. Patiënten, dacht ze, het patiëntenkoor. Die zijn ook verward, net als ik, net als hij. Ze nemen afscheid. Ze hebben verdriet. Ze zijn onmachtig, ze hebben slechts hun lied.

Albert bedankte de aanwezigen uit haar naam. Zes mannen, onder wie Erik, droegen de kist in een trage processie over het zandpad. Ze hoorde de doffe voetstappen van de menigte achter haar. In de top van een den zong een merel. Niemand sprak.

De dragers weken af van het pad en liepen over de bemoste grond naar het open graf. De kuil lag midden in een open plek op de helling van het duin, in de zon. Ze duwde haar hakken diep in het mos en zag hoe de mannen de kist de grond in lieten zakken. De zandgrond. De mensen stonden in een halve cirkel rond het graf, met gebogen hoofd. Albert sprak een laatste woord. Toen was het stil.

Ineke pakte haar zacht bij haar arm en draaide haar een kwartslag. Ze wrikte haar hakken los. Naast het graf lag een berg zand waarin een zilveren schep rechtop stond.

–Jij moet beginnen, Loes.

Ze liet haar ogen langs de hoofden glijden en zag op de achterste rij het vriendelijke gezicht van brigadier Lantzaad. De pet hield hij voor zijn borst geklemd. Ze knielde. Tussen het woud van zwarte benen kon ze de helling van het duin af kijken. Het leek of beneden, in de verte, een meisje met kort, rood haar en een vaalgrijze trui tegen een boom leunde. Haar opgeheven, witte gezicht was vol aandacht naar het graf gericht.

Ze negeerde de schep en stak haar beide handen diep in het zand. Toen strekte ze haar knieën en rechtte ze haar rug. Een hoop vochtig zand lag op haar handpalmen.

Ze maakte zich los van de omstanders, deed een stap naar voren en liet het zand met een doffe plof op de kist vallen.

Elke overeenkomst met bestaande personen, instellingen of gebeurtenissen berust op toeval.

Productie: Uitgeverij De Arbeiderspers, Amsterdam / Antwerpen
Zetwerk: Perfect Service, Schoonhoven
Druk- en bindwerk: Wöhrmann, Zutphen
Omslagillustratie: Joan Baggerman
Omslagontwerp: Marjo Starink
NUGI 300
ISBN 90 743 3670 1

Dit boek is gedrukt op 100% chloorvrij geproduceerd papier.